逆洗腦

Tin, chung

Chapter 0.

逆洗腦

역세뇌

Chapter 1.

世上

세상

Chapter 2.

知識

지식

모든 것을 의심하라.

"나는 생각한다. 고로 존재한다." 프랑스 철학자인 르네 데카르트의 말로 유명한 이 격언은, 오늘날 본래의 뜻과는 완전히 다르게 이해되어지는 격언일 것이다. 대개 우리는 이 격언이 생각의 중요성을 말하고자 하는 격언이라고 알고 있지만, 이를 진정으로 이해하기 위해서는 데카르트의 철학인 회의주의를 살펴보아야 한다.

근대 철학자의 아버지, 르네 데카르트는 '모든 것을 의심하라'라는 회의주의로 유명하다. 여기서 회의(懷疑)란 품을 회(懷)와 의심할 의(疑)가 합쳐져, 말 그대로 '의심을 가진다는 것'을 말한다. 데카르트는 이 회의주의와 함께, 우리가 받아들이는 모든 지식과 철학은 끝없이 의심하는 과정이 필요하다고 설파하였고, 그 중 논파가 불가능한 것들만을 진리로 받아들여야 한다고 주장하였다.

데카르트는 모든 것을 의심했다. 자신이 받아들이는 지식부터 느끼는 감각, 나아가 이 세상까지도 말이다. 최근 일론 머스크는 "기술이 계속 발전하기만 한다면, 언젠가 현실과 구분되지 않을 정도의 가상 세계를 구현할 수 있다."라고 이야기하며 현재 우리가 살아가는 세상이 현실일 가능성이 10억분의 1이라고 주장했는데 데카르트는 같은 내용을 약 400년 전에 주장했다. 그는 "깨어있는 상태와 잠자는 상태를 확실하게 구별할 수 있는 기준은 존재하지 않는다. 그렇다면 우리의 삶 전체가 꿈이 아니며, 우리가 느끼는 감각이 우리에게 알려주는 바가 거짓이 아니라고 확신할 수 있는가?" 라고 물음을 던지며 '꿈의 가설'(hypothèse de rêve) 을 세웠다.

하지만 꿈에서도 참인 명제들은 있었으니, 바로 수학적 지식이었다. 현실에서나, 꿈 속에서나 1+1 이 2 라는 사실은 변하지 않기에, 증명을 통해 참으로 인정받은 수학적 지식들은 진리로 받아들여질 수 있다는 것이다. 하지만 이에 대해 데카르트는 위험하지만 재미있는 의심을 품게 된다. 바로 우리를 창조한 창조주가 악한 존재일 수 있지 않을까 하는 의심이다. 당시 데카르트가 활동했던 16세기는 중세시대의 모든 권력의 중심이었던 가톨릭 교회의 주장들이 과학적으로 옳지 않다는 것이 증명되면서 고정점이 흔들렸던 혼란의 시대였기에, 이는 충분히 제기되어질 수 있었던 의심일 것이다.

이것이 바로 데카르트의 '악마의 가설'(Malin génie)이다. 이는 어떤 전능한 악마가 우리로 하여금 그릇된 사상과 지식을, 참된 진리라고 받아들이게 우리를 세뇌하는 것은 아닌가하고 의심하는 가설이다. 만약 이 가설이 참이라면, 우리는 지금까지 진리라고 믿어온 모든 지식들에 대해 확신할 수 없어지게 된다. 데카르트는 인간이 의지하고 있는 신의 존재가 과연 이런 악한 존재가 아니라고 확신할 수 있는지에 대해 물음을 던지며, 그의 회의주의는 극에 달하게 된다.

그렇게 회의주의에 극에 도달했을 때, 데카르트는 한 가지 진리를 찾게 된다. 지금 살고 있는 이 세상이 설령 꿈이더라도 꿈을 꾸고 있는 나는 존재할 것이며, 모든 지식에 있어 악마에게 속임을 당하고 있더라도 그 속임을 당하는 나라는 존재는 반드시 존재한다는 것을 말이다.

이 진리를 기반으로 데카르트는 세상을 의심하는 자신, 존재를 의심하는 자신, 이 모든 것들을 의심하는 나는 반드시 존재한다는 결론에 도달하게 되고, "나는 생각한다. 고로 존재한다."라는 격언을 내놓게 된 것이다. 이러한 그의 회의주의를 고려한다면, "나는 생각한다. 고로 존재한다"라는 데카르트의 말은 '나는 의심한다. 고로 존재한다.'라고 바꾸어 말해도 무방할 것이다.

의심은 살아감에 있어 중요하다. 데카르트에 따르면, 의심을 통해서야만이 비로소 나라는 존재를 의식할 수 있기 때문이다. 만약 의심하고 회의하지 않는다면, 받아들이는 모든 지식에 있어 참과 거짓을 구분하지 않게될 것이고, 결국 인생을 주체적으로 살아갈 수 없을 것이다. 이는 존재하지만, 존재하지 않게 된다는 것이 아닌가.

오늘날 우리가 받아들이는 지식과 인식, 가치관은 학습이라는 이름으로 우리에게 주입되어지고 있고, 우리는 사회나 사람, 미디어를 통해 엄청난 양의 정보와 사상을 접하게 된다. 이러한 세상에서야말로 더더욱이 다가오는 정보와 사상에 대해 의심하고, 진리를 찾으려는 회의주의가 필요하지 않을까?

나는 데카르트의 회의주의를 감명깊게 보았고, 내 삶에 적용시켜 보기로 했다. 이때까지 교육 받았던 가르침들이 옳았는지 되새기고, 미디어가 우리에게 어떤 메세지를 전달하고자 하는지 생각해보게 되었다. 그렇게 의심의 눈으로 세상을 바라보니 우리가 살아가는 이 세상이 이전과는 사뭇 다르게 보이기 시작했다. 누군가에게는 조금 과하게 받아들여질 수 있지만, 세상이 사람들을 세뇌하고 있는 것은 아닌가라는 생각까지도 들게 되었다.

의심이 의심을 만들게 되자, 오히려 잘못된 것은 대중이 아니라 나 자신일지도 모른다는 의심마저 들기 시작했다. '나는 삐뚤어진 세상을 똑바로 보는 것인가, 아니면 똑바른 세상을 삐뚤어지게 보는 것인가.'라는 의심이 말이다. 그렇기에 나는 이 책 〈역세뇌〉를 통해 내가 여태껏 세상을 바라보았던 나의 시선을 공유해, 사람들의 반응을 들어보고 싶다. 그러니, 회의와 비판적 사고와 함께 이 책을 즐기기를 바란다.

世上

Chapter 1.

세상

| 무언가 이상한 세상

| 손안의 세상, SNS

| 무지한 세상

Chapter 1. 세상 (世上)

〈무언가 이상한 세상〉

세상이란 이름의 사기꾼

이야기를 시작하기 위해 많이들 알고 있는 문장을 하나를 인용하고자한다. '세상에는 사기꾼 천지'라는 말이다. 보통 이 말은 갓 스무살이 된 청년들이 사회에 나가기 전, 앞으로 만날 사람들을 조심하라는 메세지를 전달하기위해 사용되는데. 세상을 살아갈수록, 나는 일개 사기꾼만큼 믿지 않아야 하는 것이 또 있다는 것을 알 수 있었다. 바로 세상 그 자체이다.

세상이 말하는 바를 곧이 곧대로 믿는 것은 좋지않다. 아니, 옳지않다. 우리가 살아가는 이 세상은 진실만을 말하는 것 처럼 보이지만 사실 그 말에는 진실과 거짓이 교묘하게 섞여있어, 우리는 진실 가운데 섞여있는 거짓들 까지 진실이라 믿게 된다. 우리가 이 사실을 깨닫지 못하는 이유는 아마 세상이 우리를 너무나 미세하게 속여, 우리가 속고있는 것 조차 알아채지 못하기 때문일 것이다. 하지만 세상의 말을 곧이 곧대로 믿다보면, 언젠가 우리는 세상에게 너무나 완벽히 속아버린 나머지, 결국 일반적인 사고를 할 수 없게 될 것이다. 스스로가 일반적인 사고를 하지 못한다는 자각도 하지 못한 채 말이다.

세상이 우리를 얼마나 대단하게 속이나 관심을 가져보면, 그 방식이 생각보다 대단하지 않다는 걸 알 수 있다. 그저 우리의 사고 방식을 단 1도 비트는게 세상이 하는 전부이기 때문이다. 단 1도라니, 혹자들은 이를 사소하게 여길 수 있으나, 이 작은 변화가 만드는 결과를 결코 사소하다 할 수 없을 것이다.

나는 이 변화의 중요성을 설명하기위해, 도화지에 직선을 그리는 것을 예시로 드는데. 머릿속으로 진행해도 무방하나, 실제로 따라해보면 더 현실감있게 이해할 수 있을 것이다. 그 예시는 다음과 같다. 검은 점 하나가 찍혀진 하얀 도화지를 상상해보자 그리고 그 점을 시작으로 어느 방향이던 20cm 길이의 직선을 그어보자. 이번에는 그 선의 시작점에서 단 1도 만큼의 각도를 틀어, 같은 길이의 직선을 새로 그어보자. 이 두 선을 비교하면 비로소 알게된다. 단순히 1도만 각도가 달라져도, 선 끝이 향하고 있는 곳이 완전히 달라진다 것을 말이다.

해당 비유 속에서 도화지는 우리가 살아가는 공간이고 검은 점은 개인, 나 자신을 의미한다. 20cm 라는 직선의 길이는 단지 나의 손크기에서 나온 수치이지만, 이 직선은 인생의 길이를 비유한 것이다. 이 직선의 길이가 길면 길 수록, 즉 우리가 인생을 살아가면 살아갈 수록, 단 1도의 변화는 점점 더 큰 차이를 만들어낼 것이다. 만약 우리가 이 선을 20cm 가 아니라 1km 길이로 긋는다면, 두 선이 향하고 있는 목적지가 얼마나 차이날지 예상이 가는가? 아마 그 차이는 하늘에서 보지 않는 이상 확인 할 수 없을 정도로 멀리 떨어져 있을 것이다.

이 예시에서 알 수 있듯, 우리가 무심하게 지나갈 수 있는 단 1도의 차이는 시간이 지날 수록 분명해진다. 그리고 세상은 우리가 바라보는 시선의 각도를 바꾸어 특정한 사상과 생각을 하게만든다는 것이다. 이것이 세상이 우리를 속이는 방식이다.

세상이 우리의 사고방식을 생각보다 조금 바꾼다는 점에서 안도의 한숨을 내뱉을 수 있겠지만, 불운하게도 이러한 행각은 일생에 단 한 번 일어나는 것이 아니라, 우리가 살아가는 매 순간 발생한다. 이와 같은 각도의 변화가 쌓이고 쌓이다보면, 언젠가 그 각도가 처음과는 너무나 틀어진 나머지, 우리는 향해야하는 목적지의 정반대를 바라보게되지만. 이 변화를 눈치채지도 못한 채, 완전히 잘못된 방향으로 나아가게 만든다. 깨닫지도 못한 채 말이다.

세상을 살아감에 있어, 이와 같은 이질감을 조금이나마 느껴왔던 사람들이라면 나의 주장에 공감할 수 있겠지만. 그렇지 않은 사람들은 생전 처음 마주하는 진실을 쉬이 받아들일 수 없을 것이다. 그러한 사람들을 위해, 세상이 우리를 속이고 있는 직접적인 사례 한 가지를 이야기해보고자 한다. 바로 직업이다.

직업

'태양의 후예'라는 드라마를 기억하는가? 2016년에 방영된 이 드라마는 배우 송중기를 주연으로, 전국 38.8%의 시청률을 기록하며 흥행에 성공했던 드라마이다. 이 드라마의 특징은 일상에서는 보기힘든 직업이 주인공을 맡았다는 점이었는데. 그 직업은 군인이었다.

세상이 우리를 속인다는 맥락 안에서 직업에 대해 화두를 던지는 것이 '세상이 드라마를 통해, 특정 직업을 꿈꾸도록 만든다는 이야기를 하려는 거구나' 라고 생각되어질 수 있는데, 이는 반점짜리 답이라 할 수 있다. 만점짜리 답에 다가가기 위해서는 태양의 후예라는 드라마가 방영하기 전, 우리나라의 정세를 돌이켜 봐야한다.

우리가 즐겨보는 드라마는 방영 전, 기획을 위해 1년에서 2년 정도의 기간이 필요하다. 배역 캐스팅부터 대본 원고 작성, 세트장 구성 등 여러가지 준비해야할 것을 생각하면, 이 긴 기간은 충분히 이해가 가는데. 이 드라마, 태양의 후예가 기획되어지는 동안에는 과연 어떠한 일들이 있었을까? 태양의 후예가 2016년 2월 24일 첫 방영이 된 점을 고려했을 때, 이 드라마를 기획했을 시기인

2015년부터 방영 전까지 우리나라에는 어떤 일들이 있었을까?

- 2015년 4월. 북한은 서해로 미사일 7발 발사했다.
- 2015년 5월. 북한은 동해로 미사일 6발 발사했다.
- 2016년 1월. 북한은 4차 핵실험을 진행했다.
- 2016년 1월. 북한의 무인기가 남한 영공을 침범했다.
- 2016년 2월. 북한의 광명성호 발사되었다.
- 2016년 2월. 태양의 후예가 방영시작되었다.

북한의 직접적인 미사일 공격 뿐만이 아니라, 핵실험과 같은 위협적인 행동들이 시작되고 얼마 지나지않아, 군인이라는 직업이 선망되어지는 드라마, 태양의 후예가 방영 되었다. 무언가 이상한 기류가 흐른다. 이게 단순히 우연일까? 우연이라 하기에는 시기가 너무 절묘하지 않은가? 만약, 정말 만약에 이러한 우연이 누군가에 의해 의도 되어졌다면, 너무나 무섭지 않나?

전쟁에서 가장 중요한 것이 무엇인지에 대해서는 여러가지 답이 나올 수 있겠지만, 사병의 자발적인 지원은 전쟁에 있어 분명 필수적인 요소일 것이다. 전쟁이 발발했을 때, 그 누구도 기꺼이 참전하지 않는다면, 이는 군사력의 문제로 직결되어지기 때문이다. 감사하게도 전쟁은 일어나지는 않았지만, 이 드라마, '태양의 후예' 는 만약 전쟁이 일어났다면 한국 남자들로 하여금, 참전을 복돋는 역할을 해주었을 것이다.

'세상이 드라마를 통해, 특정 직업을 선망하게 만든다.' 는 반점짜리 답이다. 만점짜리 답은, '세상은 자기가 필요로 하는 직업을 선망하도록, 사람들의 시선을 바꾼다.' 가 되지 않을까?

세상이 미디어를 통해 특정직업을 선망하게 끔 만든 것은 단지 '태양의 후예' 뿐만이 아니다. '슬기로운 의사생활', '닥터 김사부' 와 같은 의학 드라마들도 마찬가지이다. 대한민국의 출산률은 2022년 0.78로 저조한 수준을 보이고있고. 비슷한 시기 대한민국의 평균 나이는 43.4세로 고령화가 가속화되면서, 수준 높은 의료서비스의 수요는 필연적으로 증가해오고 있다.

이러한 사회적 필요를 반영한 걸까, 외적으로 빼어난 의사들이 나오는 드라마들이 지속적으로 나오고 있고, 의사라는 직업이 매력적으로 비추어지는 콘텐츠들 또한 꾸준히 나오고 있다. 의사들이 타인을 위해 기꺼이 흘렸던 피와 땀이 무색해지게, 그리고 그들이 의사가 되기 위해 겪어왔던 모든 노력과 스트레스에서 고개를 돌린 채, 순전히 밝고 극적인 요소만을 카메라에 담으며 말이다.

의사와 직접적인 연을 맺고있는 사람들의 이야기에 따르면, 의사라는 직업은 곁에 두면 좋지만 가족에게 추천하고 싶은 직업은 아니라고 한다. 왜냐하면 그들의 노동강도가 굉장히 높고, 생명을 다룬다는 직업 특성상 큰 부담감과 정신적 스트레스가 항상 그들을 뒤따라오기 때문이다. 이를 생각해보면, 오히려 그들이 받는 높은 연봉은 그들의 노고에 비하면 정당한 수준이라 생각되어질 정도이다.

하지만 의사들의 이상적인 모습들만 보여주는 드라마와 돈을 많이 번다는 달콤한 속설은 대한민국 상위 1%의 인재들이 의사라는 직업을 선망하게 만들어, 스스로가 가진 천재성을 온전히 발휘하지 못하게 만들고있다. 실제로 의과대학에 입학한 학생들을 보면, 명망있는, 이름있는 대학교를 포기하고 의과대학을 선택하는 경우가 비재한데. 만약 그들이 일반 대학교에 들어가 각자만의 전공분야에서 천재적인 발상과 지식을 뽐내주었다면, 그들은 어쩌면 세상을 바꿀 수도 있지 않았을까?

몰론 생명을 살리는 직업이 고귀한 직업임은 틀림이 없을 것이다. 하지만 생각을 해보자, '의사가 세상을 바꾸었다.'라는 이야기는 들어본 적이 있는가? 나는 '의사가 한 사람의 인생을 바꾸었다.'는 말은 들었어도, '의사가 세상을 바꾸었다.'는 사례는 들어보지 못했다. 수없이 많은 생명을 살려 세상을 바꾸었다고 평가되는 최초의 항생제, 페니실린은 의사의 손이 아니라 세균학자 알렉산더 플레밍의 손에 의해 발견되었고. 고통으로 힘들어하는 사람들에게 안정을 선물해준 마약성 진통제, 모르핀은 독일의 화학자 프리드리히 빌헬름에 의해 발견되었다.

이 두 가지 사례들을 보았을 때, 의사가 세상을 바꾸는 것이 얼마나 어려운 것인지를 사뭇 짐작할 수 있게된다. 오히려 과학자들이 세상을 바꾸었다는 앞의 사례들을 보면, 더 나은 세상을 만들기 위해서는 뛰어난 인재들을 의과대학으로 보낼 것이 아니라, 공학대학에 보내 그들의 천재성을 발휘할 수 있도록 장려해야할 것인데. 세상은 우리의 사고를 조금씩 비틀어 천재들을 의과대학을 향하도록 만들고 있는 것이다.

세상을 거대한 기계라고 비유 했을 때, 의사라는 존재는 무엇일까? 생명을 다룬다는 점에서 톱니바퀴를 벗어난 존재라고 생각할 수 있으나, 대체가 가능하고 사회가 유지되기 위해 필요하다는 점을 미루어보면 그들또한 톱니바퀴에 불과하다는 결론에 다다르게 된다. 천재들을 톱니바퀴로 만드는 세상. 뭔가 이상하지 않은가?

스스로가 의과대학 과는 거리가 먼 사람이기에, 해당 내용이 남의 이야기라 생각되는가? 전혀 그렇지 않다. 개인을 톱니바퀴로 전락하게 만드는 계획은 천재들 뿐만이 아니라, 우리같은 범인들에게도 똑같이 시행 되어지고 있다. 우리가 거대한 무언가의 부품, 노동품, 노예가 되게끔 하는 모략이 말이다. 조금 더 과하게 말을 바꾸어볼까? “우리는 자발적 노예시장에 살고있다.”

링컨 대통령님의 눈물

“안녕하세요. 초등학교 6년, 중학교 3년, 고등학교 3년, 대학교 4년 총 16년의 교육을 거쳐 오늘만을 기다렸습니다. 당신의 노예가 되고싶습니다.”

단연코 말할 수 있다. 단군 이래로 이렇게나 남의 노예가 되기를 바라는 세대는 없을 것이다. 이제는 어떤 생각마저 드냐하면, 대한민국이라는 나라는 노예가 되는 것을 자랑스럽게 여기도록 세뇌교육을 받은 것이 아닌가 싶다. 질문을 하나 던져보고 싶다. 지금까지 당신이 대기업에 입사하는 것을 영광스럽고, 자랑스럽게 생각했다면, 그 이유는 무엇인가? 만약 당신의 답변이, “급여가 높고, 모두가 원하기 때문에.” 에 그친다면, 나는 확신할 수 있다. 당신은 성공적으로 세뇌당했다.

어째서 사람들은 이러한 자발적 노예제도에 동참하는 걸까? 이해할 수 없다. 사회가 당연하게 여긴다는 이유 하나만으로 어떠한 사상을 저항없이 받아들인다면, 이는 사이비종교와 무슨 차이가 있는 것인가. 왜 사람들은 그저 대기업이라는 집단의 일부가 되는데에 혈안이 되어있는지 고민해 본 적이 있는가?

나는 그 이유가 개인에서 오는 것이 아니라, 기업과 사회가 해당 문화를 조장하고 있기 때문이라고 말하고싶다. 왜냐하면 모두가 대기업을 원하는 현재의 모습은 기업과 사회 입장에서 무척이나 이롭기 때문이다.

생각을 해보자, 우리 모두가 삼성, LG 와 같은 유망한 대기업에서 일하기를 소망하며, 그들을 향해 구애의 손을 뻗는다는 것은, 기업의 입장에서 채용할 인재들의 양과 질이 보장이 되어진다는 것을 의미할 것이다. 그리고 그렇게 많은 자발적 지원자들 가운데에서, 채용과정을 통해 유능한 인재들만을 선별할 수 있으니 이는 기업의 입장에서 얼마나 좋을까?

우리는 기업이라는 곳에서 일개 사원 하나하나는 각각 중요한 역할을 수행한다고 생각하지만, 이는 틀렸다. 일개 사원들은 오히려 기업이라는 큰 기계에서 그저 톱니바퀴에 불과한 것이 사실이다. 어느정도 직급과 연차가 쌓일수록 이 톱니바퀴의 존재감이 달라질 수는 있겠지만, 아무리 잘 작동하던 톱니 바퀴라도 몇 개월, 몇 년을 같은 자리에서 같은 일을 반복하면, 낡고 뭉툭해져 언젠가는 톱니바퀴로써의 값어치가 떨어지게 될 것이다.

기업은 감정이 아니라 지독한 이성을 기반한 의사결정이 이루어지는 곳이기에, 이러한 낡은 톱니바퀴를 보고 결코 클래식, 빈티지라는 방식으로 생각하지 않는다. 조금이라도 실적을 보이지 못하는 모습을 보이면 즉시 새로운 것으로 갈아치워, 보다 더 효율적으로 기계가 운영이 될 수 있도록 고민하는 곳이 기업이란 곳이다.

그렇게 낡은 톱니바퀴를 빼고 새로운 톱니바퀴를 넣을 때, 기업 밖으로 고개를 돌리면 젊고, 총명한, 날이 서있고 반짝거리는 새로운 톱니바퀴들이 기업을 향해 아우성을 외치는 모습을 볼 수 있게 된다. 기업은 그러한 톱니바퀴 중 가장 뛰어난 톱니바퀴를 또 고르면 그만이기에, 인력자원을 배치하고, 노동을 착취 하는데 있어, 영원한 갑의 자리에 앉을 수 있게 되며. 결국 시간이 지날 수록, 대기업은 점차 비상한 사람들만의 집단이 되어, 더욱 더 많은 돈을 벌게 된다는 경제적 이점까지 취할 수 있다. 단지 사람들이 선망하는 것을 대기업 입사로 바꾸었을 뿐인데 말이다.

대기업을 갈망하는 태도는 기업뿐만 아니라 사회 그 자체에게도 큰 이점을 선사한다. 어떠한 모습의 사회이던간에, 사회의 주 원동력이 세금이란 것을 생각해보면, 사회의 입장에서 오랫동안 안정적으로 세금을 받아내는 것은 그들이 풀어야 할 숙제일 것이다.

그리고 직장인들은 이 숙제를 너무나 간단히 해소해준다. 매달 월급을 받는다는 것은 매달 세금을 낸다는 것을 의미하고, 그들의 월급이 많으면 많을수록, 그에 따라 지불되어질 세금 또한 많아지기 때문에, 사회는 개인으로 하여금 직장인이 되도록 유도하지 않을 이유가 없다. 그들에게 있어 직장인은 얼마나 반가운 존재인가?

대기업을 선망하고, 고연봉의 직장을 원하는 우리들의 목표는 우리 스스로의 노예근성으로부터 나온 목표가 아니라 기업과 사회가 이러한 문화를 조장하고있기 때문에 설정되어진다. 그들은 대기업에서 일하는 것이, 회사에 취업해 높은 연봉을 받는 것이 인생의 전부인 것 마냥 사람들을 세뇌하고 있고, 우리들은 그저 그들의 뜻대로 세금을 내는 톱니바퀴로 전락하고 있다. 링컨이라는 서방의 대통령께서는 노예제도를 없애기 위해 피와 땀을 아끼지 않으셨는데. 모두가 노예가 되기를 자처하는 지금의 모습을 하늘에서 보신다면, 안타까운 마음에 눈물을 훔치실 것이다.

오해를 불러일으킬만한 주제이기에 설명을 덧붙이자면, 나는 현재 직장에서 근무중인 모든 사람들이 노예라는 말을 하고자 하는 것이 아니다. 해당 직업을 얻고자 그들이 보여주었던 준비와 노력은 박수받기에 충분하며, 아무리 톱니바퀴라 칭하였어도 그러한 톱니바퀴들이 있어야만이 사회라는 거대한 기계가 유지될 수 있기에, 결코 그들을 폄하해서는 안될 것이다. 하지만 골자는 이러한 현상 앞에서 주체적인 판단과 인생에 대한 고민없이 대기업 입사만을 맹목적으로 갈구하며, 이를 인생의 성공으로 여기는 태도에 대해서 생각을 해보아야 한다는 것이다. 곡해하지 않기를 바란다.

이 글 뿐만 아니라 뒤에 나오는 글들이 음모론적인 관점에 치우쳐 있다 생각할 수 있다. 하지만 남들에게 끌려가지 않는, 주체적인 삶을 살기 위해 음모론이 필요하다면, 나는 기꺼이 음모론적 관점으로 세상을 바라볼 것이다. 오히려 음모론적인 관점이 조심스러워 수동적인 삶을 사는게 더 바보같은 선택이 아닐까? 무엇을 우선순위로 둘 것인지는 사람마다 다르겠지만 말이다.

〈손안의 세상, SNS〉

SNS가 세상을 망치고있다.

혹자들은 SNS가 세상을 망치고 있다고 말한다. 웃기는 소리, 그 말은 어느새 틀린 말이 되어버렸다. 무엇이 틀렸냐면, 바로 시제가 틀렸다. SNS는 “이미” 세상을 망쳤다. 그것도 아주 성공적으로 말이다. 이런 말을 하면 주변 사람들이 궁금해하며 질문한다. “소셜 미디어라고 단어를 정하면 범위가 너무 넓은데, 어떤 플랫폼이 세상을 망친다는 건데?”라며 말이다. 글쎄… 전부 다?

오늘날의 SNS는 ‘일상을 공유하는 온라인 공간’이라는 과거와는 다르다. 지금의 SNS는 사람들이 자신의 인생을 허비하고, 사리사욕을 과시하는 공간이라고 묘사하는 게 더 적합할 것이다.

하지만 SNS 라는 공간이 단순히 단점들로만 가득한 공간이라 단정 지을 수는 없다. SNS에도 장점이 존재하긴 하는데. ‘먼 거리에서도 서로의 근황을 확인할 수 있다.’ 라던지 ‘나라는 사람을 브랜딩 하기에 좋은 수단이 될 수 있다.’와 같은 것이 SNS의 순기능이 될 수 있을 것이다. 그렇지만 이러한 사소한 장점들을 보고 SNS가 이롭다 하기에는 그 단점이 너무나 크고, 명확하다. 깨끗한 물 몇 방울이 들어갔다고 해서, 어찌 흙탕물이 맑은 물이 될 수 있는가.

Chapter 1. 세상 (世上)

이 글을 읽는 사람들에게는 SNS가 세상을 망친다는 표현보다, SNS가 일상을 망친다는 표현이 더 친숙할 것이다. 온 종일 핸드폰만 바라보아 일상을 망친다느니, 남들의 멋진 모습과 초라한 자기 모습을 비교하며 우울증에 걸릴 수 있다는 SNS의 단점들은 모두가 한 번쯤은 들어보았을 것인데. 이들은 단순히 개인과 일상을 망칠 뿐, 세상을 망친다는 주장을 뒷받침 하기에는 부족할 것이다. 그렇다면 SNS가 세상을 망치는 요소와 그 이유는 무엇일까?

1. Instant, Intensive Attention

SNS가 세상을 망칠 수 있었던 첫 번째 이유. 바로 즉각적이고 강렬한 관심이다. SNS의 특성 중 하나이며, 온라인의 장점이 무엇인가. 바로 스마트폰 하나만 있으면 전 세계 사람들과 언제든 상호작용을 할 수 있다는 점이다. 이러한 온라인의 즉시성은 우리로 하여금 시간과 장소를 초월하게 해주며, 여러 가지 이로운 점을 주었는데. 어째서인지 소셜 미디어에서의 즉시성은 심각한 부작용으로 여겨진다. 왜일까?

나는 인스타그램 채널을 운영해본 경험이 있다. 그저 나의 일상을 담은 콘텐츠 채널이었지만. 운이 따라 채널은 짧은 시간 만에 많은 팔로워를 얻을 수 있었는데. 그때 나는 신기한 경험을 할 수 있었다. 인스타그램에 콘텐츠를 업로드하고 몇 분이 채 지나지 않으면 핸드폰이 빠르게 진동하는 것이었다. 이 진동은 바로 나의 게시글이 '좋아요'를 받았다는 알람이었는데. 이렇게 시작된 좋아요 알림은 약 2~3분간 지속되며 금세 그 수가 백 단위에 도달하곤 했다.

이때 묘한 감정이 든다. 내가 유명인도 아닌데, 단순히 게시글을 올렸을 뿐만으로 수많은 관심들이 나를 향해 쏟아지는 경험은 일종의 고양감을 불러일으킨다. 지금 생각해보면, 그 묘한 감정은 도파민에 취하는 느낌이었던 것 같다. 일상에서는 쉽게 받지 못할 '좋아요' 세례에 도파민이 반응한 것이다.

우리의 뇌는 즉각적인 보상에 반응하도록 설계되어있다. 특히 한국인들이 이러한 보상에 더욱이 굶주려있는 모습을 볼 수 있는데. 그 이유는 우리 사회 시스템 안에서 찾아볼 수 있을 것이다. 대한민국에 사는 우리들은 초등학교부터 고등학교 때까지 12년의 긴 시간 동안 교육을 받는다. 이러한 교육의 궁극적인 목적이 대학교 진학에 맞추어져 있다는 점을 생각해보면, 우리가 교육받는 세월은 12년 이라는 기간이 지나야만이 보상받을 수 있다고 달리 말해질 수 있을 것이다. (이러한 사회구조는 '빨리빨리'라는 수식어가 붙은 대한민국 사람과는 정반대의 모습을 보여준다는 점에서 참 역설적이다.)

보상에 대한 긴 기간을 경험했기 때문일까, 한국인들은 적은 노력에 즉각적인 보상(좋아요)이 오는 것들에 더 쉽게 빠지는 경향을 보인다. 그렇게 특정 콘텐츠를 올리면 즉시 보상을 받게 되는 SNS는 인간을 도파민 중독으로 이끌고, 소셜미디어 속으로 더 빠져들게 만든다. 이런 이유를 짚어보면, 어째서 우리가 유독 '좋아요'에 그렇게 집착하는지 알 것만 같다.

문제는 '좋아요'에 대한 중독이 아니라, '좋아요' 그 자체다. 질문을 하나 던지고 싶다. 우리는 '좋아요'를 받으면 왜 기분이 좋아지는 걸까? 사실 소셜미디어 속에서의 '좋아요'는 특별한 기능도 없고, 숨은 뜻을 가지고 있지도 않는다. 받으면 돈을 버는 것 또한 아니며, 단순히 "좋다"라는 반응을 남기는 것일 뿐 그 이상도 이하도 아니다. 참으로 변변치않다.

하지만 이러한 자극적인 관심은 뇌과학적인 시선에서 큰 문제로 여겨진다. 우리 뇌 중 행복함을 관할하는 성분인 도파민은 의욕, 행복, 기억, 인지 등에 영향을 미치는 중추신경계의 성분인데. 이 도파민이란 것은 우리가 자극적인 관심에 쾌락을 느낄 때 머리에서 자연스럽게 생성된다.

많은 사람들이 모르는 것이, 우리의 머릿속에서 도파민이 발생하면, 도파민이 생성되는 걸로 끝나지 않는다. 자극적인 관심으로 인해 머릿속에서 도파민이 생성되면, 우리의 뇌 속 보상회로는 생성된 도파민에 적응하기 위해 도파민에 반응하는 도파민 수용체를 감소시킨다. 이를 도파민에 내성을 가지게 된다고 말한다.

이 수용체가 줄어들게 되면, 이전에는 10만큼의 도파민에서 10만큼의 쾌락을 느낄 수 있던 것들이 이제는 10만큼의 도파민에 5 정도의 쾌락 밖에 느끼지 못하게 된다. 이전과 같은 10만큼의 쾌락을 느끼기 위해서는 20만큼의 도파민이 필요해지고, 어느 순간부터는 기존의 도파민으로 충분한 쾌감을 느끼지 못하게 되어, 더 많은, 더 강한 쾌락을 찾게 된다. 즉 중독이 된다는 것이다.

우리의 뇌는 우리의 생각보다 단순하기에 이러한 중독에 저항없이 빠져들게되며, 이는 우리로 하여금 평범한 일상을 공유하는 SNS에서 좋아요에 중독된 채, '좋아요'를 위한 '좋아요'를 갈구하게 된다는 것이다.

이 글에서 다루는 단어와 내용들이 '좋아요'와 'SNS'이기에 사태의 심각성을 느끼지 못할 수 있는데. 도파민에 근거한 다른 중독들은 대표적으로 마약, 자위로 알려져있다. 왜 우리는 이 두 가지는 심각한 문제라 여기지만, 실상 우리의 피부에 가장 가까이 있는 SNS가 같은 결과를 초래하는 마약과 같은 존재임을 알아차리기 어려운 걸까?

2. Snack content

SNS가 세상을 망칠 수 있었던 두 번째 이유는 스낵콘텐츠이다. 스낵 콘텐츠라는 단어를 모르는 이들을 위해 간략히 설명하자면, 스낵 콘텐츠는 최근 2022년을 기점으로 유행하기 시작한 콘텐츠 종류인데. 틱톡, 인스타그램의 릴스, 유튜브 쇼츠와 같이 극도로 짧은 시간으로 구성되어, 간식 (Snack)처럼 소비하기 쉬운 1분가량의 콘텐츠를 말한다.

이 시점에서 독자들은 내가 앞으로 할 이야기에 대해 유추할 수 있을 것이다. 그 중 가장 가능성 높은 유추는 '스낵 콘텐츠는 끝이 없다는 내용을 말하겠네'가 아닐까. 물론 이 또한 좋지 못한 영향을 미치고 있는 것은 사실이다. 잠을 청하기 위해 침대에 누웠지만, 생각보다 잠이 잘 오지 않던 경험이 있었을 것이다. 그럴 때 우리는 잠자기 전까지 즐길 가벼운 콘텐츠, 스낵 콘텐츠들을 시청하곤 하는데. 끝없는 스크롤에 결국 밤을 지샌 경험은 나뿐만의 경험이 아닐 것이다. 이러한 콘텐츠들을 정말 스낵이라고 할 수 있을까? 하는 의구심이 들지만 스낵콘텐츠의 진정으로 무서운 면모는 고작 잠을 못 자게 하는 것이 아니다. 진정으로 무서운 것은 바로 집중력을 잃게 만든다는 것이다.

글을 작성하는 지금 인스타그램의 릴스, 유튜브의 쇼츠, 틱톡을 보면 3분은커녕 1분, 30초 분량의 짧은 콘텐츠들이 넘쳐나고 있다. 이러한 콘텐츠에 지속해서 노출되는 것은 우리의 뇌를 스낵콘텐츠에 절이는 것과 같다. 이렇게 극도로 짧은 스낵콘텐츠들에 노출되게되면, 우리의 뇌는 콘텐츠를 볼 때 1분가량의 집중을 당연하게 여기게 되고, 다른 콘텐츠를 볼 때도 이를 기본값으로 설정하게 된다. 이 짧고 강한 집중이 기본값으로 여겨진다면, 어떠한 일이 발생할까?

우리가 무언가에 집중할 때, 뇌는 전구와 유사하다. 집중하면 불이 켜지고, 집중하지 않으면 불이 꺼지는 전구와 같이 말이다. 하지만 언제서부터인가 뇌는 이상한 현상을 마주하게 되는데, 전구의 켜짐과 꺼짐 사이의 템포가 줄어들면서, 결국 30초만 껐다 켜지기를 반복한다는 것이다.

뇌는 생각을 하기 시작했다. '1분마다 전구가 껐다 켜지네. 전기를 아껴야 하니, 전구가 켜지면 30초만 켜지게 해야겠다.' 여기서 문제가 발생한다. 바로 1시간을 켜놔야 하는 전구가 30초마다 꺼지는 것이다.

요즘 우리가 집중하기 어려워하는 이유는 우리의 뇌가 집중하지 못하게 끔 설정이 되어졌기 때문이 아닐까. 스낵콘텐츠가 우리로 하여금 깊은 사고와 충분한 집중을 하지 못하게 만든다는 것이 아닐까. 사고(思考)의 중요성을 아는 사람이라면 이 현상의 무서움을 피부로 느낄 수 있을텐데. 이것이 단순히 개인의 범위에 그치지 않고, 그 범위가 넓어져 대중들이 사고하지 못하도록 만든다고 바라보면, 그 무서움은 배가 된다.

스낵콘텐츠의 도입은 플랫폼들이 서로 약속을 한 듯이 연쇄적으로 진행됐다. 그렇게 대부분의 SNS 플랫폼에서 스낵콘텐츠가 완벽히 자리 잡은 오늘날의 모습은 마치 의도적으로 일반인들이 집중을 하지 못 하게 만드는 목적이 담겨있는 것은 아닌가 싶다. 일종의 우민화 정책처럼 말이다. 단순히 우연일까? 이런 시선을 가지게 된 이후로 SNS가 굉장히 조심스럽다.

3. 낮아진 진입장벽

아직 슬퍼하기는 이르다. SNS가 세상을 망친 마지막 이유이자 가장 위험한 이유는, 콘텐츠를 만들 수 있는 진입장벽이 현저히 낮아졌다는 것이다. '콘텐츠 제작의 진입장벽이 낮아졌다.'라는 말을 들으면, 대부분 이를 장점으로 여기며, 그 위험성을 이해하지 못한다. 콘텐츠 양이 많아지고 질 좋은 콘텐츠가 제작되는 것은 이로운 현상 아닌가? 사용자들의 입장에서는 반가워 해야하는 상황이 아닌가? 라고 의문점을 가질 수 있다. 물론 맞는 말이다. 다양한 콘텐츠들이 세상에 나올수록, 사용자들은 콘텐츠의 다채로움을 즐길 수 있게 된다. 하지만 우리는 이러한 콘텐츠 시장이 경쟁 시장이라는 것을 잊으면 안 된다.

콘텐츠 제작의 진입장벽이 낮아지고, 모두가 콘텐츠를 만들 수 있게되자, 다양한 콘텐츠가 햇살을 맞기 시작했다. 하지만 너무나 방대한 양의 콘텐츠가 쏟아져 나오게 된 것이 문제였다. 모든 콘텐츠가 유명해질 수는 없기에, 콘텐츠 제작자들 사이에서 경쟁은 당연하게 시작되었고. 이 경쟁이 최악의 상황을 불러일으켰다.

콘텐츠 제작자들은 기존의 콘텐츠 사이에서 승리하고자, 더 많은 대중에게 노출되고자 하는 목적으로, 더 자극적인 콘텐츠를 만들기 시작했다. 그렇게 '누가 더 더 자극적인가'에 대한 경쟁은 콘텐츠 자체의 본질을 해이해지게 만들었고, 오히려 SNS 전체에 먹구름을 불러일으켰다.

이는 아프리카 티비라는 플랫폼에서 누구나 자신만의 방송 콘텐츠를 만들 수 있게 되자, 발생했던 상황과 일치한다. 많은 방송인 사이에서 인기를 얻고자, 방송인들은 보다 자극적인 언행과 콘텐츠를 진행하게 되었고, 결국 그들은 자극적인 콘텐츠와 함께, 대중의 이목을 끌어 엄청난 인기와 수입을 얻을 수 있게 되었다.

하지만 이 현상이 결국 해피엔딩으로 마무리 지어질 수 있었을까? 그렇지 않았다. 이러한 행태 속에서 서로의 부모님을 욕하는 소수만의 비속어가 대중들에게 퍼지기 시작했고. 심지어 초등학교 학생들에게도 그 비속어가 유행어처럼 퍼지면서 우리 사회를 좀먹게 되었다.

다행히도 요즘은 콘텐츠들에 대한 윤리성이 서서히 자리 잡아가고 있기에 전과 같은 실수는 현저히 줄어들고 있지만, 또 다른 측면으로 부정적인 영향이 뻗어나갔는데. 하필이면 그 방향이 성적인 영역이었다.

Pornography world

나에게는 습관이 하나 있다. 어떠한 단어를 처음 접하게 되면, 재빨리 단어 사전을 찾아봐 그 뜻을 확인하는 습관이다. 나조차도 뜻을 모르는 단어를 함부로 말하기에는 조심스러운 마음이 있기 때문인 것 같다. 자, 그렇다면 포르노그라피 (pornography)의 뜻을 위키피디아에서 검색해보자.

"Pornography : magazines and films showing naked people or sexual acts that are intended to make people feel sexually excited."

한국말로 해석하면, Pornography는 사람들을 의도적으로 성적 흥분하게 하는 목적을 가진 나체의 사람들 또는 성적인 모습을 보여주는 잡지, 영화들. 이라고 한다. 아하 이런 뜻이었구나. 하는 동시에 머릿속에서 누가 손을 들고 질문했다. "이거 SNS 아닌가요?"

오늘날의 SNS를 보면 여기가 포르노 사이트인지 소셜 미디어 플랫폼인지 구별이 되지 않을 때가 있다. 남녀를 불문하고 웃통을 벗어 던지고, 신체의 특정 부위를 부각하는 옷을 입으며, 심지어는 과감히 노출까지 하는 그들을 보면, 그들이 태어날 때부터 개방적인 사람이었는가 의심하게 된다. 그렇지만 나는 이러한 현상에 대한 원인이 그들의 선천적인 특성 때문이 아니라, SNS 자체에서 이유를 찾았다. SNS가 그들의 옷을 벗게 만든다는 것이다.

이제는 수많은 콘텐츠와 게시물들이 파도처럼 밀려오니, 다른 사람들보다는 자극적이어야 눈에 띄고, 반응을 부른다는 것을 사람들은 학습하게 되었다. 성적 매력을 어필하는 게시글과 그렇지 않은 게시물 사이 간의 관심의 차이가 너무나 확연한 것을 느끼자, 더 자극적인 콘텐츠와 게시글들의 방향이 점차 성적인 영역으로 틀어졌다는 것이다. 어찌보면 당연한 수순이었을까.

'Pan piano' 라는 유트브 채널이 있다. 국적은 대만으로 피아노를 연주하는 영상을 올리는데. 6년전 첫 영상 이후로 시간이 지날수록, 복장과 각도가 노골적이게 바뀌게된다. 초기에 그녀가 올렸던 연주 영상이 10-50만대의 조회수를 보여주는 반면, 시간이 지날 수록, 눈살을 찌뿌려지는 영상일 수록 100, 200, 300만대의 높은 조회수를 기록하고있다. '이것이 현실인가.' 라는 탄식과 함께, 마음이 복잡하다.

혹자들은 이 현상을 만들어낸 주체가 SNS가 아니라 남자라고 주장을 하는데. 이는 잘못된 주장이다. 첫째로 이 문제는 닭이 먼저냐

달걀이 먼저냐의 문제이다. 성적 콘텐츠를 제작한 사람의 잘못인지, 그 콘텐츠의 관심을 비춘 사람의 잘못인지는 그 시작이 어디인지 알 수 없다.

둘째로 사람이 본성을 따르는 것은 당연하다. 미학적인 것에 이끌리고, 유명세를 얻고 싶어 하는 것은 인간 기저에 깔린 지극히 당연한 욕구이다. 그렇기에 자극적인 콘텐츠에 이끌리는 남자들 뿐만 아니라 그러한 관심을 사용해 돈과 명성을 얻는 여자들 가운데, 우리는 그 누구의 잘잘못도 따질 수 없다.

오히려 질타를 해야하는 대상은 이 상황 속에서 양측을 부추겨, 은연중에 이득을 챙길 뿐만 아니라, 이 악순환의 고리를 끊을 수 있는 능력이 있음에도 방관하는 SNS 관리자의 잘못일 것이다. (고작 좋아요 때문에 이러한 유해성들이 만들어진다는 것은 좋아요라는 허황된 가치가 얼마나 사람을 쉽게 조종할 수 있는지 다시금 알 수 있다.)

지금의 SNS는 내가 알던 '일상을 공유하는 온라인 마을'의 도를 한참이나 넘어섰다. 우리들은 SNS의 무서움을 알아채야 한다. SNS는 플랫폼 내의 체류시간을 늘리기 위해서, 일말의 양심도 없이 타인들의 옷을 벗겨가고 있다. 좋아요는 우리들의 행동을 조종하고 있고, 스낵콘텐츠는 집중력을 앗아가고 있다. 이러한 무서움을 알면서 SNS에 중독되어가고 있는 우리들의 모습들을 보면, 이를 문제로 여기는 것은 나만의 망상이 아닌가 하며 스스로 뒤돌아보게 된다.

SNS가 세상을 망친다는 이야기는 이제는 철 지난 주장일 뿐이었다. SNS는 이미 세상을 망쳤다. 아주 성공적으로 말이다.

Are you 18 or older?

〈무지한 세상〉

무지의 상대성

바야흐로 2023년 기술은 하루가 다르게 진보하고 있고, 많은 것들은 디지털화 되어지고 있다. 이러한 디지털화는 우리의 삶을 크게 변화시켰는데. 그 변화 중 한 가지는 지식에 대한 진입장벽이 낮아진 것이다. 두꺼운 전문 서적과 전문가의 자문을 구하며 힘겹게 지식을 습득했던 과거와는 달리, 이제는 인터넷을 통해서면 언제 어디서나 지식을 찾아볼 수 있게 되었다. 말 그대로 누구나 지식에 접근할 수 있게 되었다는 것이다.

그래서일까, 이제는 무지한 인간이 없어야 할 것만 같다. 지식을 얻는 것이 너무나 쉬워진 나머지, 무지한 사람들이 존재하기가 오히려 더 힘든 환경이 되어버린 것이 아닌가. 하지만 실상은 오히려 정반대가 되어버렸다. 지식의 진입장벽이 낮아짐에 따라 오히려 무지한 사람들이 많아지게 되었다는 것이다. 어째서일까?

지식에 대한 진입장벽이 낮아지게 되자, 여태껏 지식을 갈망해왔던 사람들은 하나 둘 씩 낮아진 장벽을 넘어가기 시작했다. 많은 지식을 학습하고, 자신의 것으로 만들면서 그들은 점차 지식인으로 거듭날 수 있었고. 이는 인류의 전반적인 지적 수준을 높이는 데에 일조했을 것이다.

하지만 이러한 현상은 단지 지식습득에 적극적이었던 소수만의 이야기였을 뿐, 지식을 습득함에 있어 전혀 관심이 없던 사람들은 진입장벽이 낮아졌음에도 그 어떠한 행동의 변화도 보이지 않았고, 결국 이 차이가 문제를 일으켰다. 적극적으로 지식을 쌓아려는 사람과, 그렇지 않은 사람 사이에서 '지적 수준의 간극' 이 점점 커지기 시작한 것이다.

우리는 한 사람이 똑똑한지 아닌지 어떻게 분간할 수 있을까? 책을 많이 읽으면? 자격증의 개수가 많으면? 이렇듯 누구하나 자신감있게 이 질문에 답할 수 없는 것은 아마 지적 수준이 절대적인 기준으로 평가될 수 없기 때문일 것이다. 설령 이제까지 우리가 절대적인 기준이 적용된다 생각했던 사례들도 사실 그 속을 뜯어보면, 상대적인 기준이 적용되었음을 알 수 있는데. 대학교 타이틀이 이를 설명하는 좋은 사례가 될 수 있다.

서울대학교에 다니고 있는 학생은, 해당 학교에 재학한다는 절대적인 기준으로, 높은 지적 수준을 가지고 있다 평가되지만. 사실 그 서울대학교에 가기 위해 시행되었던 경쟁 시스템 속에서 '상대적인 우위'를 점했던 것이 서울대학교에 갈 수 있었던 주된 이유였음을 알 수 있다. 대학교 타이틀이라는 절대적인 기준이 아니라, 다른 학생들에 비해 높은 성적을 맞았다는 상대적인 기준에 따라 지적 수준이 평가되었다는 것이다.

환경과 기준에 따라 지적 수준에 대한 평가가 달라진다는 것은 지적 수준이 상대적으로 평가된다는 또 다른 사례가 될 수 있다. 고등학교에서 1등을 하던 학생이 대학교에 가면, 상위권 등수를 유지하지 못하는 모습을 우리는 종종 볼 수 있다. 물론 이 학생이 고등학교라는 집단 속에서 똑똑했기 때문에 해당 집단 안에서 뛰어난 성적을 얻을 수 있었겠지만, 엘리트끼리 모인 대학이라는 집단에서 최하위의 성적을 맞는 학생의 모습은, 그를 해당 집단 안에서도 똑똑하다 평가할 수 있을지 의문일 것이다.

만약 평가 환경과 기준을 동년배 나이대로 확장시키면, 이 학생의 지적 수준은 여전히 상위권에 속할 것이다. 하지만 그 기준을 엘리트 대학교로 좁힌 이상, 그는 그저 최하위권의 학생에 불과하다. 이렇듯 환경과 기준에 따라 개인의 지적 수준이 결정된다는 것은 지적 수준이 상대적으로 평가 되어진다는 것을 뒷받침하는 사례일 것이다.

이 지적 수준의 상대성에 관해 이야기한 이유는, 처음 이야기했던 지적 수준의 간극에서도 이 상대성이 똑같이 작동하기 때문이다. 기원전, 오스트랄로피테쿠스가 살던 원시시대 사회에서는 개인 간 존재했던 지식의 간극이 오늘날처럼 극명하지 않았을 것이다.

모두가 수렵과 채집에 종사하던 아주 먼 옛날은 지식을 습득하기에 이상적인 환경이 아니었기 때문이다. 어떠한 지식을 습득한다 하더라도, 지적 수준의 간극이 크지는 않았을 것이다.

그렇지만 상황이 달라졌다. 지금은 고등교육을 받은 인재들이 끊임없이 세상에 배출되고 있고, 정보의 진입장벽이 낮아짐에 따라 인류 전반적인 지적 수준의 평균이 꾸준히 올라가고 있다. 즉, 지식인과 그렇지 않은 이들 사이서의 지적 수준의 간극이 전과 달리 두드러지게 커지고 있다는 것이다. 이 시점에서 지적 수준이 상대적으로 평가된다는 점을 고려하면, 현재 지식을 쌓아가고 있지 않은 대다수의 사람은 지적수준의 평균이 올라감에 따라, 매 순간 더 무지에 가까워진다는 결론에 이르게 되지 않겠는가.

이러한 양극화 현상 덕분에, 오늘날의 우리는 인류 역사상 가장 지적인 인류임과 동시에 역설적으로 인류 역사상 가장 무지한 인류라는 두 타이틀을 전부 가질 수 있게 되었다. 참으로 웃기지 않는가. 그런데 내 눈앞에 그 양극화를 더 가속할 존재가 세상에 나와버렸다. 바로 Chat GPT이다.

Chat GPT

작금의 시대에 뜨거운 감자이며, 유튜브, 인스타그램, 책 등 어디에서든 다루어지고 있는 주제. Chat GPT이다. 미국의 AI 연구재단 open AI 가 2022년 11월에 공개한 초대형 언어모델인 Chat GPT는 사용자가 메시지를 보내면 빅데이터 분석을 바탕으로 대화를 이어 나가는 일종의 챗봇이라 할 수 있다.

하지만 단순한 챗봇이라 하기에 그 능력이 너무나 출중하다. 단 몇 번의 질문만으로 사용자들의 궁금증을 해결해주고, 시를 써줄 뿐만 아니라, 심지어 대학교 리포트까지 작성해주는 모습은 Chat GPT가 단순한 챗봇의 경지를 넘어, 비로소 인공지능다운 인공지능의 탄생이라 여겨질 만한 것 같다.

하지만 몇몇 사람들은 아직 Chat GPT의 기술 수준이 실생활에 사용되기에 어려움이 있다고 주장하고 있다. 일리있는 말이다. Chat GPT에서 산출된 답을 그대로 사용하기에 아직은 해당 내용의 정확도나 신뢰성이 부족한 것은 사실이다. 하지만 이 문제점은 문법과 단어 수정과 같은 인간의 개입을 통해 해결될 수 있기 때문에, Chat GPT는 지금도 많은 사업영역에서 활용되고 있으며, 실생활에서 또한 사용될 수 있다고 여겨져야 할 것이다.

언젠가는 더욱 견고해지겠지만, 지금도 마찬가지로 이제는 AI가 인간 대신 생각을 해줄 수 있다고 하여도 과언이 아닐 것이다. '인간의 생각을 대신해준다.' 나는 이 지점에서 등골이 서늘해졌다. 기계가 인간 대신 생각을 한다니. AI가 생각한 내용을 인간이 받아들이게 된다니. 이게 정말 괜찮은 건가?

Chat GPT는 인간의 시간과 노력을 절약해준다는 점에서 큰 이점을 가지고 있다. Chat GPT를 한 단어로 표현하자면 '스킵 버튼'과 같다고 할 수 있을 것이다. 몇 가지 질문을 적으면 알아서 답을 구해주는 Chat GPT의 모습은 어떠한 문제를 해결해 나아가는 과정 중, 중간단계를 완전히 넘어갈 수 있는 버튼과 같지 않은가.

하지만 이렇게 중간과정을 생략하는 것은 소를 위해 대를 포기하는 것과 같다. 몰론 지금 당장은 편해질 수 있으나, 이는 결국 학습의 기회를 놓치는 것이기 때문이다. 우리가 귀찮다고 생각할 수 있는 시간과 노력의 투자는 투자한 만큼의 가치가 있다. 어떠한 문제를 해결하기 위해 시간과 노력을 투자했을 때, 그 과정에서 우리의 논리적인 사고력과 문제 해결력이 발달하게 되는데. 이러한 과정을 전부 생략하게 해주는 Chat GPT는 그 성장을 사전에 차단한다는 것이다.

나만의 견해일지 모르겠지만, 인생에 있어 성장할 수 있는 기회는 그리 많지 않은 것 같다. 어릴적 보던 영화나 만화와 같이 성장을 밥 먹듯이 하는 모습은 현실과는 다르다는 것이다. 만약 나의 견해가 맞다면, 이 성장의 기회를 마주했을 때 우리는 최선을 다해도 모자랄 것일텐데. 문제를 마주했을 때 Chat GPT 등 뒤에 숨어, 질문 버튼을 마구마구 누르는 모습은, '질문'이라 적혀 있는 전송칸이 사실 '나는 성장하지 않겠습니다.'라고 적혀있음을 알아채지 못한 게 아닐까.

시대에 적응하며 새로운 기술을 습득하는 것은 분명 변화하는 시대에 발맞추어 살아가는 것임에 동의할 수 밖에 없다. 하지만 지적 수준의 상대성을, 지적 수준의 양극화를 가속시킬 존재가 눈 앞에서 우리를 유혹한다면, 우리는 어떠한 대처를 해야할 것인가?

Don't want to step up

무료화의 이유

높은 기술에는 높은 비용이 필수적이기에, Chat GPT는 많은 데이터 양과 그 generation 과정 때문에 운영비용이 만만치 않은데. 실제로 우리가 Chat GPT를 사용함에 있어서는 금액을 전혀 지불하지 않고 있다. 왜 Open AI 측은 이 천문학적인 비용을 지출하면서까지 대중들에게 서비스를 무료로 제공하고 있는 것일까? 의심해 볼 만한 주제이다.

나는 그 이유를 세 가지 관점에서 찾았는데. 첫 번째는 마케팅적인 관점이다. 어떠한 서비스를 대중들에게 알리기 위해서는 광고 수단이 필요하다. 그리고 이 홍보 수단에 비용을 지출하는 것 대신, Open AI 사는 서비스를 무료로 공개하는 것으로 많은 사람의 관심을 한 몸에 받을 수 있었다. Chat GPT의 활용 방법과 그 우수한 성능을 사람들이 스스로 공유하게끔 만들었고, 사용자를 홍보자로 바꾸어버리는 전략으로 회사는 엄청난 홍보 효과를 만들어낼 수 있었다. 실제로 이 무료화 전략을 기반으로 Chat GPT는 출시 두 달 만에 월 사용자 1억명을 돌파했다. 아주 성공적인 마케팅이었다.

두 번째 관점은 AI의 성장을 위한 무료화이다. Chat GPT는 학습형 AI이다. 이 말이 무슨 뜻이냐면 AI가 성장하기 위해서는 학습을 할, 많은 양의 데이터가 필요하다는 것이다. 이 데이터가 별 대단한 내용이어야 하는 게 아니라, 단순한 정보의 주입하는 것으로도 충분한데. 여타 데이터와 같이, 필요한 데이터의 양이 많으면 많아질수록, 그 비용이 증가하게 된다. Open AI 사는 이때 필요한 많은 데이터를, 단순히 서비스를 무료로 제공함으로, 사람들이 자발적으로 그 데이터를 건네주게 만들었다. 데이터 양이 많을수록 빨리 성장하는 AI의 특징을 생각하면, 무료화로 인한 많은 사용자와 데이터는 AI의 성장에 박차를 가하게 만들었을 것이다. 이또한 성공적인 무료화 전략이다.

마지막 관점은 조금 위험한 상상이지만, AI에 대한 인간의 의존도를 높이고자 함일 것이다. 모르는 내용을 Chat GPT에게 질문하고, 일상생활에 적극적으로 사용하는 지금과 같은 양상이 계속되고, 기술이 꾸준히 발전한다면, Chat GPT는 실생활에 더욱 밀접히 녹아들게 될 것이고, 그 활용도가 기하급수적으로 상승할 것이다. 그렇게 Chat GPT가 우리 삶에 깊게 스며들게 된다면, 언젠가 우리는 Chat GPT를 활용하는 것에 익숙해진 나머지, Chat GPT 없이 스스로 생각하고, 답을 찾는 것에 힘들어할 순간이 오게 되지 않을까. 그때 Open AI가 모든 서비스를 유료화한다면, 어쩔 것인가. 회사는 엄청난 수익을 창출할 수 있을 것이고, 그제야 비로소 터미네이터라는 말이 농담이 아니게 되는 순간이 올 것이란 위험한 상상을 해본다.

기술은 도구에 불과하다. 급변하는 세상 속에서 적응력은 중요한 요소이기에 기술 발전에 따른 AI 활용은 적응의 수단으로 여겨질 수 있다. 하지만 위에 글에서 확인할 수 있듯이 주객이 전도된 기술 남용을 조심해야 한다는 것이다. Chat GPT에 대한 짧은 글을 쓰며 머릿속에서 나만의 문장을 만들었다.

'기술의 진화가 오히려 인간의 퇴화를 야기할 수 있다.'

우리는 Chat GPT를 인류의 진화라 보아야 할까 퇴화라 보아야 할까?

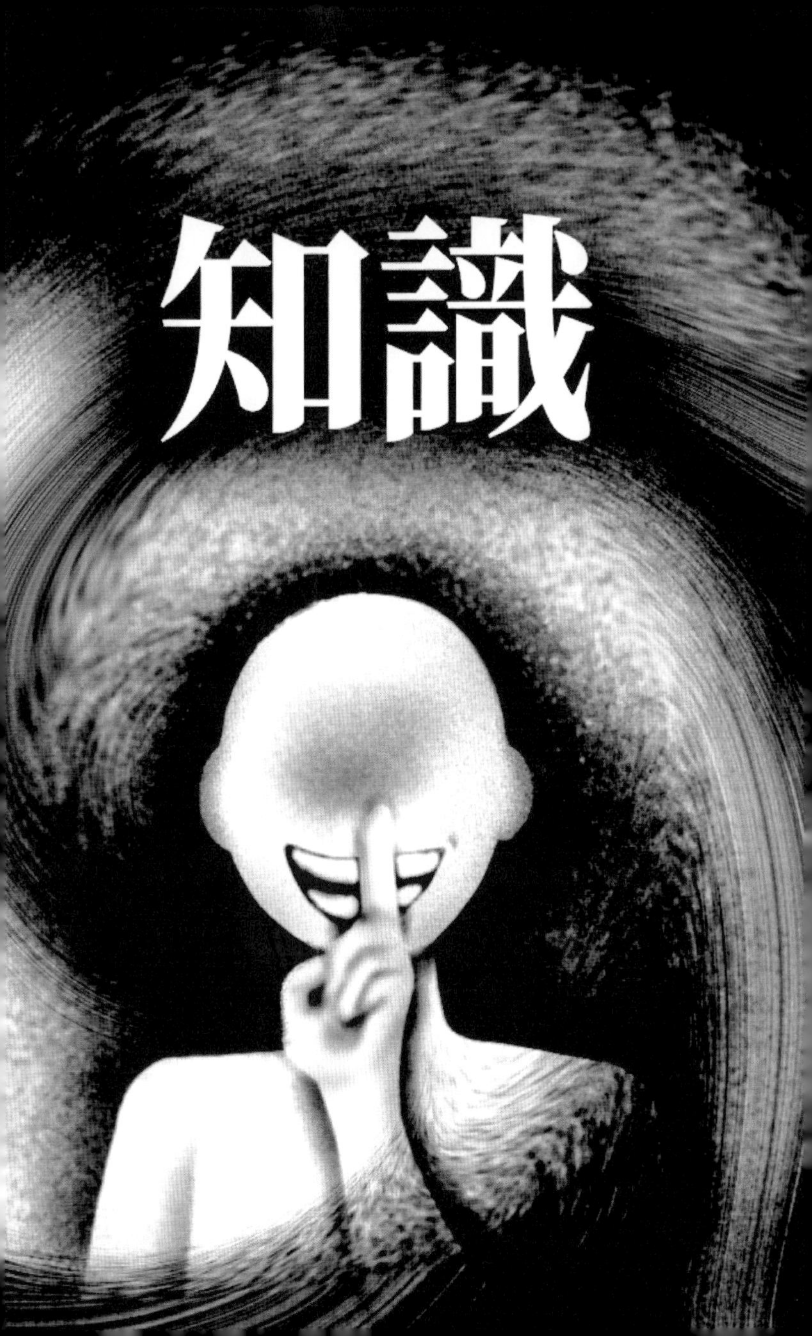
知識

Chapter 2.
知識

지식

시간

인생

인간관계

〈시간〉

시간은 금이다.

'시간은 금이다.'라는 속담이 있다. 이 속담은 말 그대로 시간이 금처럼 귀하다는 뜻으로, 시간을 아끼고, 잘 사용하라는 의미로 쓰이는데. 어릴 적 나는 이 속담을 참 좋아했다. 하지만 좋아하는 것과는 별개로 그 쓰임이 옳지 못했다. 나는 이 속담을 시간을 금처럼 소중히 여기라는 메시지로 썼다기보단, "고민하는 시간이 아까우니 얼른 놀러 가자, 시간은 금이니까."라고 말하며, 고민 없이 놀러 가자는 의미로 해당 속담을 사용하곤 했다. 그 시절을 되새겨보면, 나는 논리와 이성과는 거리가 먼 사람이었던 것 같다. 시간이 금이라고 말하면서, 금 같이 사용하지 않는 모습이 참 모순적이지 않은가.

하지만 최근 이 속담을 다시 마주했을 때, 한 가지 재미있는 질문이 떠올랐다. 그 질문은 바로 '조상님들이 이 속담을 정말 시간을 아껴 쓰라는 의미로 만드신 걸까? 혹시 우리가 이를 너무나 의역해버린 나머지, 시간 = 금이라는 직관적인 메시지를 보지 못하는 게 아닐까?'라는 질문이었다.

세상에는 여러 가지 종류의 자산이 존재한다. 현금, 부동산, 주식과 같은 금전적인 자산부터 아니라 우정, 가족과 같은 무형의 자산까지도 말이다. 만약 누군가가 우리에게 그러한 자산의 종류를 묻는다면, 우리는 자산의 종류들을 막힘없이 나열할 수 있을 텐데. 그 자산들을 무엇으로 얻을 수 있냐고 물어본다면, 우리는 어떻게 대답할까? 돈? 그렇다면 그 돈은 무엇을 통해 얻은 것인가?

자산을 무엇으로 구매할 수 있는지, 무엇을 통해 얻을 수 있는지 그 뿌리를 들추어보면. 결국 모든 자산의 뿌리가 시간이라는 이름의 자산에 있다는 답을 찾을 수 있다. 시간이라는 자산, 즉 시간 자산은 우리가 모두 가지고 있지만, 깨닫지 못하고 있는 자산일 것이다. 우리가 이 시간 자산이라는 존재를 깨닫지 못하고 있는 이유는 아마 이 자산이 우리에게 너무나 당연하게 주어진 나머지, 자산이라는 인식을 하지 못하고 있기 때문이 아닐까. 마치 우리가 모두 산소의 중요성을 알지만, 너무나 당연하게 들이마심에 따라 평소에는 그 중요성을 잊고 사는 것처럼 말이다.

이 시간 자산을 진정으로 활용하기 위해서는 시간의 자산적 측면을 인지해야만 한다. 그리고 이를 인지하게 되는 순간, 소위 시간 관리 라고 사람들이 부르는 것을 보다 체계적으로 실행할 수 있게 되고. 시간을 바라보는 관점 자체가 달라질 수 있을 것이다.

물물교환

시간이 어떻게 자산에 포함된다는 걸까? 시간 자체는 어떠한 금전적 보상을 만들지 않는데 말이다. 맞는 말이다. 만약 시간 자체가 금전적 보상으로 직결된다면, 나는 항상 침대에 누운 채, 나의 시간을 팔았을 것이다. 하지만 슬프게도 시간 자산은 그 자체로 자산의 가치를 가지지 못한다. 그렇다면 시간 자산은 언제 자산으로써 빛을 발한다는 것일까? 시간 자산은 어떠한 경우에도 물물교환으로서 가치를 발한다.

이해를 돕기 위해 한 가지 예를 들자면, 아르바이트가 적절한 예시가 될 수 있다. 우리가 익히 알고 있는 아르바이트는 단기 혹은 임시 고용되어 일하는 근무 형태를 말하는데. 평소에 보던 아르바이트라는 단어도 자산으로써의 시간을 인식하게 된다면, 그 본질을 꿰뚫어 볼 수 있게 된다. 그 본질이란, 아르바이트는 노동을 통해 돈을 버는 것이 아니라 본인의 시간 자산을 돈과 맞바꾸는 일종의 물물교환이라는 것이다.

대학생, 청년 중 대다수가 아르바이트를 통해 생활비를 벌곤 하는데, 이러한 모습은 개인의 시간 자산을 돈과 맞바꾸는 행위이다. 하지만 시간 자산은 돈과 지식뿐만이 아니라, 여러 가지 종류의 자산과 교환될 수 있다. 친구와 함께하는 시간 자산은 우정이라는 자산과 교환이 되고, 연인과 보내는 시간 자산은 사랑이라는 무형의 자산과 교환이 되는 것처럼 말이다. 시간 자산이 실질적인 돈뿐만 아니라 무형의 자산과도 교환이 된다는 점에서, 시간 자산은 교환을 통해 자산의 가치를 가진다는 것에 모두가 동의를 할 수 있을 것이다.

그렇다. 시간은 금이라는 옛 성인들의 말씀이 오랫동안 전해진 이유가 있었다. 시간은 금이라는 속담은 단순히 시간이 귀하다는 뜻뿐만 아니라, 시간이 금 그 자체가 될 수 있다는 것을 의미하는 게 아니었을까? 시간 자산이 돈과 교환이 가능하다는 점을 생각하면, 속담 속 '시간 = 금(돈)'이라는 식은 어쩌면 말이 되는 이야기였을 지도 모르겠다.

시가(時價) 는 시가(市價)

시간 자산이 돈과 거래가 된다는 점에서 우리는 한 가지 의문점을 가질 수 있다. 시간 자산, 얼마로 거래되는 것일까? 나는 이에 대답하고 싶다. 시가(時價)는 시가(市價)라고. 앞의 시가는 시간 시(時)에 값 가(價)를 사용해 시간의 가격이란 뜻이고. 뒤쪽의 시가는 시장 시(市)에 값 가(價)로 시장에서의 가격을 뜻한다. 즉, 개인의 시간 자산의 값은 시장이 정한다는 말이다.

시장이 가격을 정한다는 말은, 시장 자체가 살아있어 개개인의 시간에 값을 매긴다는 것이 아니라, 시간 자산이 수요와 공급 법칙에 따른다는 것을 의미한다. 사과를 파는 가게가 많으면 사과 값이 떨어지고, 사과를 사는 사람이 많으면 사과 값이 오르는 것 처럼. 우리의 시간 자산도 마찬가지라는 것이다.

오늘날 '일반적인 사람의 시간 자산'을 파는 시장에서는 시간을 파는 사람의 수가 너무나도 많아, 그 양이 수요를 초과하고 있다. 이렇듯 공급이 많으니 시장의 법칙에 따라 자연스레 개인의 시간 자산은 가격이 저렴해지게 되었고, 이것이 왜 최저시급이란 적은 돈에도 청년들이 아르바이트에 달려드는 이유일 것이다.

하지만 시가(時價)가 시가(市價)라는 것은 반대로 이야기하면 이 수요와 공급 법칙이 시간 자산의 값에 긍정적으로 영향을 미칠 수 있다는 이야기가 된다. 수요와 공급 법칙에 의거했을 때, 시장에서 한 상품이 가격이 오르게 되는 경우는 두 가지 이다. 첫 번째는 수요가 증가하거나, 두 번째는 공급이 적거나. 이 두 가지 경우를 생각해보면, 개인의 시간 자산 값을 올리는 방법은 정해져있다. 모두가 나의 시간자산을 사고싶게 만들거나, 나의 시간자산을 특이한 자산으로 취급되게 끔 하여 누구도 나와 같은 시간 자산을 판매하지 못하도록 하는 것이다. 하지만 위 두 내용은 자기계발을 하라는 말 그 이상도 이하도 아닐터, 나는 새로운 선택지를 꺼내고 싶다. 그 선택지는 '시장을 바꾸는 것'이다.

야구 배트에는 특정 지점을 맞았을 때, 같은 공이더라도 더 멀리 나아가는 지점, 'Sweet spot'이란 것이 존재한다. 야구선수들의 신체조건이 사람마다 다르기에, 각자가 이 Sweet spot으로 공을 치려 저마다의 노력하는데. 야구에서 높은 타율을 가지기 위해서는 좋은 배트보다 공이 배트의 어떤 부분을 맞았을 때 더 멀리 뻗어나가는지를 알아야하는게 1순위임을 생각해보면, 이 Sweet spot 은 야구선수에게 있어 중요한 개념일 것이다.

이 개념은 단지 야구의 이야기만이 아니라, 우리의 시간자산을 판매할 때도 같게 적용된다. 세상에는 단 한 가지의 시장만이 존재하는 것이 아니라, 프로그래밍, 디자인, 마케팅 등 각 분야에 따라 수없이 많은 시장들이 존재하며, 한 사람의 시간 자산은 그 시간 자산을 판매하는 시장이 어디냐에 따라 그 가치가 천차만별로 바뀐다. 야구선수의 시간 자산이 야구시장에서 높은 값으로 불리겠지만, 단순 아르바이트 시장에서는 그저 9,620원의 값어치를 가지는 것 처럼 말이다.

우리는 우리만의 Sweet spot을 찾는게 먼저이고, 그 다음 순서가 해당 시장안에서의 자신을 발전시키는 것이지. 어느 시장에서 스스로의 시간자산을 팔아야할지 조차 모르는데, 파는 방법부터 고민하는 것은 앞뒤가 바뀐 방법이라 생각된다. 그렇기에 나라는 사람이 어느 시장에서 귀하게 여겨지는지, 강점을 보일 수 있는지 생각을 하는 것이 급선무가 아닐까. 이런 점을 생각해보면, 소크라테스의 "너 자신을 알라" 라는 말은 아직까지도 유효하다는 점에서 참 존경스러운 것 같다.

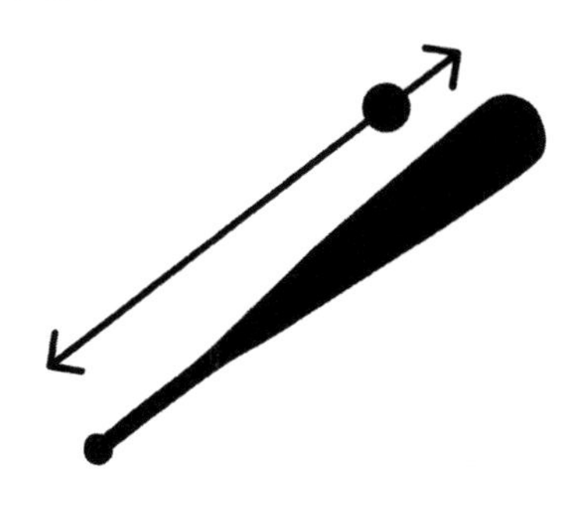

시간은 공평하지 않다

살다 보면, '시간은 누구에게나 공평하다.'라는 격언을 종종 마주칠 수 있다. 모든 인간이 하루에 24시간을 살고, 그 시간이 모여서 우리가 모두 동등하게 1년에 365일이라는 시간을 사는 것처럼, 누구에게나 공평한 것이 있다면 그것은 바로 시간이라고 말하는데. 이는 틀린 말이다. 시간은 공평하지 않다.

만일 시간이 공평하게 주어진다고 생각하는 사람이 있다면, 젊은 나이에 불치병을 앓고 전전긍긍하는 사람과, 시한부 생명을 선고받은 사람들 앞에서 같은 이야기를 할 수 있기를 바란다. 엄마 배에서 나왔지만, 다시금 잠에 빠지는 신생아들과 누구도 예상치 못한 사고로 죽음을 맞이한 사람들 또한 그렇다. 인간은 절대로 공평하게 시간을 받고 있지 않다.

누군가에게는 앞의 사례들이 조금은 극단적이라 느껴질 수 있을 것이다. 그렇게 느끼는 것이 당연하다. 애초에 시간이 공평하게 주어진다는 말은 너무나도 '극단적이지 않은' 말이기 때문이다. 시간이 공평하게 주어지지 않는 개인들을 사전에 모두 제외하고, '지극히 평범한 사람' 만을 해당하는 말이지 않는가. 이미 공평하게 받지 못하는 개인을 배제하면서, 모두가 공평히 받는다고 주장하는 것은 일종의 모순이 아닐까? 모순을 싫어하는 나로서는 이런 주장을 들으면 온몸에 두드러기가 돋는 것 같다. 하지만 그뿐만이 아니다. 시간이 공평하지 않다는 주장은 공평하게 주어지지 않는다는 이유에서 그치지 않는다.

시간은 공평하게 주어지지도 않을 뿐더러, 설령 공평하게 시간을 받았다고 하여도, 공평하게 사용 되어지지 않는다. 그 누가 아프리카 빈민가에서 물을 긷는 소년과 강남에서 사교육을 받는 소년의 시간이 공평하게 사용된다 할 수 있겠는가. 분명 빈민가 소년과 사교육을 받는 아이는 '공평한' 시간을 받는다. 하지만 빈민가의 소년은 공평하게 주어진 시간을 생계를 책임지기 위해 온종일 물을 긷는 반면, 사교육을 받는 소년은 지금 당장의 생계를 걱정할 필요도, 물을 길을 필요도 없기에 활용할 수 있는 시간의 양이 상대적, 절대적으로 많을 수 밖에 없다.

위 사례에서 알 수 있듯이, 시간은 경제적, 환경적, 개인적인 요소로 인해 공평하게 주어지더라도, 불공평하게 사용된다. 조금은 웃기다. 애초에 세상이 불공평한데, 그 세상 속의 시간이 어째서 공평하리라 생각할 수 있는가. 너무나 안일한 태도는 아닐까? 사람들은 인생이 불공평하고, 세상 또한 불공평하다는 사실에는 모두가 동의하지만. 어째서인지 시간이 불공평하다는 생각에는 쉽사리 동의하지 못한다. 왜 그들은 이에 동의하지 못하고 시간이 공평하다고 알아왔던 것일까? 혹 누군가가 우리를 잘못된 방향으로 생각하게 한 것은 아닐까? 나는 이러한 말을 하는 사람과 그들이 시간이 공평하다 주장하는 이유를 '시간은 공평하다.'라는 말이 사람의 생각을 어떻게 바꾸는지에서 찾을 수 있었다.

대부분 자기계발서나, 동기부여 영상에서 "시간은 공평하다."라는 말은 모두에게 공평한 양의 시간이 주어지기에, 열심히만 산다면, 누구나 성공을 이룰 수 있다는 맥락으로 사용된다. 하지만 정말 그럴까? 시간이 공평하지 않다는 것은 둘 째 치더라도, 주어진 시간을 열심히만 산다면 누구나 성공을 이룰 수 있다는 말은 책임질 수 있는 말이라고 생각하는 것일까? 만약 그렇다면 그 책임은 어떻게 질 것인가. 마치 자신이 선구자인 것 마냥, 대중들을 향해 책임지지도 못 할 말을 하는 것이 양심이라곤 찾을 수 없는 것 같다. 하지만 그럼에도 소수의 사람들은 이 말을 외쳐야만 한다. 그렇게 말해야만이 사람들이 실패했을 때, 사회의 부조리를 탓할 수 없어지기 때문이다.

'시간은 공평하다.'라는 말은 성공하지 못하면, 그 원인이 시간을 활용하지 못한 본인에게 있다고 생각하도록 만든다. 몰론 개인이 성과를 내지 못하는 데에 있어서는 주어진 시간을 제대로 활용하지 못한 것 또한 원인이 될 수 있으나, 문제는 이 과정에서 실패의 원인을 자신에게만 돌려버린 나머지, 그들이 마주해왔던 불공평을 모두 잊어버리게 만든다는 것이다. 다른 사람들의 불공평에는 눈 돌리지만 자신들의 불공평에는 끝없이 불타오르는 사람들을 세뇌하기 위해서, 소수의 사람들은 불공평이라는 진실을 보게될 일반인의 눈 앞에 거울을 들이밀었다. 실패의 원인을 자신에게서 찾게 만들어, 정작 봐야 했던 사회의 부조리함을 가려버린 것이다.

설령 시간이 공평하지 않다는 진실을 알아도 아무것도 바뀌지 않는다는 주장을 할 수 있다. 바보같은 소리. 같은 움직임을 하더라도 내면에 가지고 있는 생각과 마음가짐이 다르다면, 그 둘은 결코 같은 행동이라 부를 수 없다. 즉, 시간이 공평하다는 믿음에 기반한 행동과 시간이 불공평하다는 믿음에 기반한 행동은 차원이 다른 별개의 행동이라는 것이다.

인생에 있어 성공을 어떠한 것으로 정의를 지어야 하는지는 개인마다 다르겠지만, 스스로가 사회적으로 성공했다는 사람들은 자신들이 정말 공평한 시간을 가졌었다고 생각하는 걸까? 환경적, 경제적으로 뒷받침을 받았던 사람들은 이 말을 해서는 안 될 것이고, 정말 자수성가의 노력파 사람들은 "시간이 불공평하다는 걸 알기에 죽도록 노력했다." 라는 말이 나와야 하지 않을까?

젊음

혹자들은 말한다. 젊음은 돌아오지 않으니, 젊음을 즐기라고 말이다. 이는 정확히 반은 맞고, 반은 틀린 소리이다. 그 중 맞은 반은 바로 젊음은 돌아오지 않는다는 사실이다. 이 시점에서 질문을 하나 던지고 싶다. 20대 갓 성인이 된 청년의 시간과, 50대의 중장년의 시간은 같은 시간일까? 몰론 20대가 몸과 마음이 젊고 생동감 넘치는 나이대 이기에 20대의 시간을 더 높게 평가할 수 있겠지만, 나는 해당 나이의 시간이 미래에 미칠 파급력을 중점으로 이 질문에 다가갔다.

20대의 시간은 시간 자체만으로도 중요하지만, 그 시간이 앞으로의 미래에 미칠 파급력이 크다는 점에서 중요하다. 조금 풀어 설명하자면, 20대의 시간은 어떻게 쓰느냐에 따라 남은 인생에 미치는 영향력이 굉장히 강하다는 것이다. 공부를 더하던, 자격증을 따던, 어떠한 것을 하던간에 20대의 시간은 한 사람의 인생을 송두리째 바꿀 수 있을 정도로 영향력이 있지 않은가.

나이라는 절대적인 수치로 두 나이를 비교보아도, 어째서 20대의 시간이 더 영향력이 큰 지 알 수 있다. 평균 수명이 점차 증가하여 100세 시대라고 불리는 작금의 시대를 고려했을 때, 20대의 시간은 향후 80년 만큼의 미래에 영향을 미칠 수 있지만, 50대의 시간은 앞으로 50년 만큼의 미래에만 영향을 미칠 수 있다. 이러한 차이를 주먹구구 식으로 해석해보면, 20대의 시간은 50대의 시간보다 1.6배 영향력이 강하다는 결론이 도출된다. 하지만 이는 단순히 해당 나이대의 시간이 미칠 수 있는 '절대적인 시간의 양'만을 비교한 것일 뿐, 실제로 20-30대의 시간이 인생 전체를 좌지우지할 수 있다는 점을 감안하면, 1.6배는 무슨, 적어도 10배는 더 중요하다 하여도 과하지 않을 것 이다.

젊음은 돌아오지 않으니, 젊음을 즐겨라. 이만한 헛소리가 없다. 20대의 시간이 50대의 시간에 비해 10배 혹은 그 이상의 파급력을 가진걸 모를리가 없는 사람들이 이런 조언을 하다니, 젊은 사람들을 바보로 아는걸까? 20대의 시간이 얼마나 중요한지 깨달은 뒤로부터는, 이 젊음을 즐기라는 조언이 인생을 앞서가는 사람들이 후발주자를 견제하는 말이라고 밖에 생각되지 않는다.

사람들은 젊음을 즐기라는 조언과 함께, 종종 여행을 권하고는 한다. 나이가 들어서는 책임을 져야할 것이 많아, 떠나고 싶은 마음이 들어도 쉬이 떠날 수가 없다 말하며 말이다. 자신의 인생에 책임을 지는 그들의 모습은 존경받기에 충분하겠지만, 나는 이 말에 조금 회의적이다.

분명 여행이라는 수단은 넓은 세상 자신이 얼마나 초라한 존재인지 알 수 있고, 한국이라는 작은 나라에서 스스로가 얼마나 우물 안 개구리처럼 살았는지에 대한 깨달음을 얻게 해주는 몇 안되는 수단 중 하나이다. 뿐만 아니라, 반복되는 삶을 사는 사람들에게는 환기를 시켜주는 역할을 해주고, 스트레스를 해소해줄 수 있다는 점에서 여행은 이로운 점이 많다고 생각한다.

하지만 권해지는 시기가 이상하다 생각한다. 누가 20대에만 여행을 다닐 수 있다하였나, 여행은 20대가 아니더라도 30대, 40대, 50대가 되어도 다닐 수 있다. 게다가 특이한 케이스가 아닌 이상, 스무살의 청춘에는 가진 돈이 적을 수 밖에 없기에, 여행을 간다하더라도 그 곳에서 즐길 수 있는 콘텐츠가 제한적일 수밖에 없다. 그렇다면 어느정도 재정적인 기반이 잡힌 뒤에 여행을 가는 것이 훨씬 풍족하고 다채로운 여행을 즐길 수 있는 방법이 아닐까? 어쩌면 20대에 여행을 다니는 것은 인생을 바꿔나갈 수 있는 힘이 가장 강한 두 가지 매개체인, 20대의 시간 자산과 종잣돈을 동시에, 그리고 빠르게 낭비하는 길이 아닐까? 만약 오늘날의 세상과 자신들이 가진 권력이 변함없기를 바라는 사람들이 있다면, 그리고 젊은이들이 적극적으로 세상을 바꾸고 자신들의 자리를 빼앗기를 두려워하는 집단이 존재한다면, 여행이라는 수단을 앞세워 청년들의 주된 원동력인 젊음과 자본을 뺏는 방법은 너무나 효과적으로 그들의 자리를 유지하는 방법일 것이 아닌가? 라는 재미있는 상상을 해본다.

Chapter 2. 지식 (知識)

당신의 시간은 얼마인가?

이 글을 쓰는 2023년 대한민국의 최저시급은 9,620원이고, 내년인 2024년에는 아마 10,000원을 넘어갈 수 있다는 걸로 알고 있다. 대략 500원 정도가 오른다는 것인데. 이 변화에 우리는 어떤 감정이 들어야할까. 기쁨? 글쎄. 나는 한숨이 나온다. 내가 어째서 한숨을 쉬었는지 이해하기 위해서는 최저시급이라는 단어의 뜻을 다시보고, 조금은 다른 관점으로 보아야한다. 사전에 따르면 최저시급, 최저임금제도의 뜻은 아래와 같다.

"최저임금제도란 국가가 노·사간의 임금결정과정에 개입하여 임금의 최저수준을 정하고, 사용자에게 이 수준 이상의 임금을 지급하도록 법으로 강제함으로써 저임금 근로자를 보호하는 제도"
(출처: 최저임금위원회)

우리는 이때까지 최저임금을 개인의 기본적인 일상을 유지하기 위해, 국가가 나서 일용 근로자들을 보호하는 법으로 알아왔지만, 조금만 다른 시선으로 보면 해당 법은 조금. 아니 굉장히 무서운 제도라는 사실을 알 수 있다. 개인의 노동에 대해 최소한의 보상을 보장하는, 노동자들을 위한 제도로 보이는 이 최저임금 법은 사실 노동자들을 위하기는 커녕, 노동자들을 사용하기 쉬운 일꾼으로 전락하게 만든다는 사실을 말이다.

최저시급을 내 식대로 요약하자면 다음과 같다. '국가가 개인의 시간에 값을 매기는 법.' 그렇게 개개인의 시간 자산의 공식적인 가격을 붙이고, "자 이제 우리가 일반인들의 시간을 다같이 정한 금액으로 지불할테니, 딴 말하기 없기다."라고 단정짓는 제도가 아닐까. 최저시급은 우리가 특정 금액이상을 보상받게 해주는 '친 노동자적' 인 법이라고 보이지만, 사실은 기업이 당신이란 사람의 시간을 합법적으로 9,620원이라는 가격에 구매할 수 있도록 권리를 주는 '친 기업적 '인 법일 것이다. 말 장난을 통해서 핵심에 다다라 보자. 앞으로 나올 문장들의 미세한 변화를 느끼기를 바란다.

-최저시급이 9,620원이란 것은 기본 노동을 통한 일반인은 시간당 9,620원의 금액을 받을 수 있다는 것이다.

-아르바이트 종사자는 1시간에 9,620원을 받는다.

-아르바이트 종사자의 1시간 자산은 9,620원이다.

-당신은 아르바이트를 하고있는가? 그렇다면 당신의 1시간은 9,620원이다.

-당신의 시간 자산은 얼마인가?

현실을 바라보면, 오늘날 아르바이트 종사자의 시간은 만원 조차 안된다는 것을 알 수 있다. 16년의 고등교육을 마친 나의 시간이 만원 조차 되지 않는 것 뿐만 아니라, 숨만 쉬고 나이만 먹은 스무살과 스스로가 같은 취급을 받는다는 사실을 깨닳았을 때, 우리는 과연 어떠한 기분이 들어야할까. 한숨이 절로 나오지 않겠는가.

만약 당신이 스스로를 시간당 9천원의 사람이라 생각한다면, 현재의 아르바이트에 충분히 만족할 수 있을 것이다. 하지만 그렇게 생각하지 않는다면, 당신의 시간자산이 9,620원 이상의 가치를 가진다고 생각한다면, 행동을 달리 할 필요가 있지 않을까? 그렇다면 우리가 추구해야하는 것은 무엇일까?

Chapter 2. 지식 (知識)

〈인생〉

인생이라는 사막

뜨거운 사막에 두 소년이 있었다. 목이 말라 쓰러져 가는 두 소년을 불쌍하게 보며, 지나가는 상인은 그들에게 물 한 바구니씩을 나누어주었다. 그렇게 얼마나 시간이 지났을까, 정처 없이 걷던 두 소년은 낡은 펌프를 발견하게 된다. 하지만 펌프가 너무나 낡아버린 탓에 작동이 되는 건지, 아닌지 도통 알 수가 없었다. 아무리 펌프질을 해도 물이 나오지 않는 것을 보고, 한 소년은 타들어 가는 갈증을 해소하기 위해 자신이 가진 모든 물을 마셨다. 하지만 다른 소년은 자신의 물을 전부 펌프에 붓고는 펌프질을 하기 시작했다. 몇 시간 뒤, 결국 펌프에서는 물이 나왔다.

어떻게 보면 굉장히 뻔한, 살다 보면 한 번은 들었을 법한 내용의 이야기이다. 처음 이 이야기를 마주한 나는 '나도 무언가를 투자해야 나오는구나' 하며 깨달음을 얻기보다, 뙤약볕을 견디고 자신의 모든 물을 전부 펌프에 부은 도전적인 정신과, 언제 나올지도 모르는 보상을 위해 펌프질을 멈추지 않는 주인공의 정신력이 대단하다고 생각했다. 목이 말라 죽을 것 같더라도, 언젠가 나올 물을 기대하며 자신이 가진 모든 것을 쏟는 것. 그리고 자신이 결정한 선택에 의심 없이 꾸준히 지속하는 것. 내가 그 소년이었다면 해낼 수 있었을까?

이 이야기를 듣고 유심히 생각해보니, 나는 이 이야기 속에서 보상, 성공으로 여겨질 수 있는 '물'을 얻게 되는 데에는 다섯 가지 요소가 필요했다는 걸 알 수 있었다.

첫 번째는 기연, 지나가는 상인을 만난 것.
두 번째는 운, 정처 없이 걷다 펌프를 발견하게 된 것.
세 번째는 절제, 갈증이라는 욕구를 참은 것.
네 번째는 마중물, 펌프질을 위해 부은 물.
다섯 번째는 우직함.

이렇게 나열을 해보니, 위 다섯 가지 요소는 이 이야기에서만이 아니라, 성공을 얻기 위해 필수적인 요소라는 생각으로 이어졌다. 저 다섯 가지 요소가 성공에 어떻게 기여하는 걸까 고민하면서, 성공에 대한 나만의 식을 만들어 낼 수 있었는데. 그 공식을 공개하기 전에, 각각의 요소를 먼저 짚어보도록 하자.

첫 번째 : 기연, 지나가는 상인

앞서 소개한 이야기는 해피엔딩으로 마무리되었지만, 모든 일은 최악의 상황을 상상 해보아야 한다. 그리고 내가 생각하는 그 최악의 시나리오는 이 첫 번째 요소에서 시작된다. 누구인지 모르겠으나, 이야기를 진행하기 위해 이야기가 배치한 인물, 바로 지나가는 상인이다.

만약 소년들이 상인을 마주치지 못했다면 이야기는 어떻게 흘러갔을까? 아마 두 소년은 사막을 정처 없이 떠돌다, 그만 목이 말라 쓰러지고 말았을 것이다. 그리고 그렇게 사막의 모래와 하나가 되지 않았을까. 이 결말을 생각해보면, 우연히 만난 상인이란 존재는 두 소년에게 있어서 기적 같은, 아니 기적 그 자체였을 것이다.

사막을 여행해보았던 사람은 공감할 수 있겠지만, 사막에서 우연히 사람을 만날 가능성은 정말 낮다. 하물며 사람을 만나더라도, 아무 이유 없이 선뜻 도움을 줄 사람은 더더욱이 없을 것이고 말이다. 하지만 이 이야기 속 상인은 자기가 가진 물을 기꺼이 소년들에게 내주었다. 사막을 건너기 위해서는 상인 또한 물이 필요했을텐데 말이다. 정말 기연이라고 밖에 표현할 수 없을 것 같다.

끝이 어디인지 모를 인생이라는 사막에서, 우리는 이야기 속 상인과 같은 기연이 너무나 절실하다. 요즘 세상이 너무나 각박한 나머지 그 누구도 타인을 도우려 하지 않기에, 기연을 마주치기란 매우 어려운데. 이 이야기 속 소년들은 어떻게 상인을 만날 수 있었을까?

만약 소년들이 사막을 건너기를 포기하고 가만히 앉아 죽음을 기다렸다면, 상인은 두 소년을 발견할 수 없었을 것이다. 하지만 두 소년이 포기하지 않고 한 발짝 한 발짝 앞으로 나아갔기에, 멀리서 보기에 '움직이는 물체'로 보였기에 상인은 이 두 소년을 발견할 수 있었다. 즉, 인생을 살아가며 기연을 만나기 위해서는 힘든 상황 속에서도 멈추지 않고, 한 걸음씩 나아가는 것이 중요하다는 것이다. 목적지로 향하는 방향이 틀리더라도 상관없다. 그저 멀리서 기연의 누군가가 우리를 '움직이는 물체'로 인식할 수 있으면 된다.

'속도보다는 방향이 중요하다.'라는 말이 있다. 백번 지당한 말이라 생각한다. 방향을 정확히 알아야 목적지로 향하는 여정이 분명해지니 말이다. 하지만 이것은 어디까지나 속도보다 방향, 즉 '속도 〈 방향' 이란 말이지. 어떠한 움직임도 취하지 않은 채, 가만히 앉아 방향만 고민하는 것은 괴테의 말을 잘못 해석하고 있는 것은 아닐까?

특히 요즘 세대들에게서 이러한 모습이 자주 보여지는 것 같다.

향하고자 하는 방향이 틀릴 수도 있음을 너무나 걱정한 나머지, 자신이 내디딜 한 발자국을 고민하고, 또 고민하다 결국 딛지조차 않는 모습을 말이다. 충분히 이해할 수 있다. 혹여나 잘못된 방향으로 걸어가는 건 아닐까, 조심스러운 마음에 선불리 결정하기 어렵다는 것을 말이다. 하지만 명심해야 하는 것은, 인생은 사막과 같은 환경이란 것이다. 수시로 변하는 사막에서는 오히려 아무 움직임 없이 가만히 기다리는 것이 최악의 선택이다. 사막이라는 환경은 급격한 온도의 변화 뿐만이 아니라 어디서 도사릴지 모르는 위험이 존재하기에, 가만히 기다리는 선택지는 그 모든 위험에 대해 무방비하게 노출되어있기를 선택하는 꼴이기 때문이다.

가만히 기다리는 것이 최악의 선택이라는 이유를 제외하더라도, 우리가 움직여야 하는 이유는 바로 '움직이는 물체'로 보일 수 있다는 것이다. 물론 목적지와는 다른 곳으로 갈 수 있다는 가능성은 인간으로 하여금 선불리 발을 내디딜 수 없게 만든 것이 사실이다. 그렇지만 틀린 방향으로 가는 이 선택지 또한 '움직이는 물체로 보인다.'라는 상태 변화를 만들어내기에, 결코 손해보는 장사는 아니다. 게다가 마주칠 상인의 입장에서 생각해보면, 어딘가를 향해 열심히 나아가는 소년과 가만히 앉아 푸념하는 소년 중 누구를 더 도와주고 싶을까? 당연히 전자일 것이다. 기연의 인물에게 발견되고, 도움을 얻으려면 우리는 움직여야 한다.

인생이란 사막에 있어, 상인은 여러 가지 모습으로 우리를 찾아온다. 조언을 주는 친구의 모습으로, 지지해주는 가족의 모습으로 그리고 가르침을 주는 멘토의 모습으로도 말이다. 이처럼 어떠한 모습으로 찾아올지 모른다는 이 상인의 특성 때문에 우리는 실제로 상인을 옆에 두었으면서도, 그 존재를 알아차리지 못하는 경우가 많다. 우리가 만나는 모든 인연을 소중히 해야하는 이유가 여기에 있다. 당신이 어제 마주한 지인이 훗날 당신의 상인이 될 수도 있기에 말이다.

생각해보자, 나는 이미 상인을 만났는가? 그는 누구인가? 만약 만나지 않았다면, 지금의 나는 움직이는 물체로 보이는가?

두 번째 : 운, 펌프의 발견

어떻게 보면 첫 번째 요소인 상인과 이 펌프가 모두 운의 영역에 해당한다고 생각할 수 있지만, 나는 이 둘을 조금 다르게 바라본다. 내가 생각하기에 이 둘의 차이점은 크게 두 가지가 존재하는데. 첫 번째는 개인의 노력이 해당요소에 직접적으로 영향을 미칠 수 있는지, 아닌지의 차이이다.

상인에게 발견되기 위해, 우리는 '움직이는 물체'로 보이는 노력을 해야하지만, 아무리 열심히 움직여도 발견하는 주체는 결국 상인이다. 그렇기에 우리가 열심히 움직였어도 상인의 눈이 좋지 못하거나, 움직이는 물체를 흔들리는 선인장과 구분하지 못한다면, 우리의 노력은 물거품이 되고 만다. 즉, 상인은 우리의 노력이 간접적으로 영향을 미치고 있는 요소란 것이다.

하지만 펌프는 다르다. 펌프는 우리의 노력이 직접적으로 영향을 미칠 수 있는 요소이다. 상인과 달리, 펌프는 움직이지 않는다. 땅에 박혀있기에, 항상 존재하던 지점에서 발견되어질 수 있다. 그저 펌프를 육안으로 확인할 수 있는 거리까지만 도달한다면 누구나 펌프를 발견할 수 있다는 점은, 앞으로 나아가는 우리의 노력이 펌프를 발견함에 있어 직접적인 영향력을 행사한다는 것을 의미한다.

상인과 펌프간의 두 번째 차이점은, 돌아오는 길에도 찾을 수 있는지, 아닌지 이다. 내가 나아가고 있는 방향이 잘못된 방향이었다면, 우리는 주저함 없이 뒤돌 수 있는 용기가 필요할 것이다. 그리고 다행히도, 왔던 길을 되돌아 올 때 우리는 상인을 마주할 수 있다. 상인이 어디서 어떻게 오는지 누가 알 것인가? 하지만 펌프는 다르다. 이미 한 번 지나왔던 길에는 펌프가 없다. 나아가지 않았던 곳으로 나아갈 때야만이 펌프를 찾을 수 있을 것이다. 이는 곧, 우리가 새로운 방향으로 나서는 것에 두려워 할 필요가 없다는 것이 아닐까.

우리는 인생이라는 사막에서 저마다의 펌프를 가지고 있다. 반드시 가지고 있다. 만약 아직 발견하지 못했다면, 그것은 펌프가 존재하지 않는 것이 아니라, 다만 그것을 발견하지 못했을 뿐일 것이다. 그렇기에 오히려 자리에 앉아, 방향만을 고심하는 것은 펌프를 결코 발견할 수 없는 선택지가 아닐까. 우리는 움직여야한다. 우리의 여정에는 반드시 펌프가 나오기 때문이다.

세 번째 : 절제, 갈증을 인내함

세상에는 여러가지 종류의 욕구가 존재한다. 인간의 3대 욕구인 성욕, 식욕, 수면욕 부터 시작해서, 쉬고싶은 욕구, 쾌락을 좇고 싶은 욕구 등, 인간은 살면서 다양한 욕구들을 마주하고는 한다. 그 중, 이 이야기에서 소년들이 당면한 욕구는 갈증이었다. 이 갈증 앞에서 두 소년은 서로 다른 결정을 보여주었는데, 그 차이가 이 이야기 속 소년들의 이야기를 하나에서 둘로 나눈 유일한 지점이었다. 한 소년은 갈증이라는 욕구를 마주했을 때, 자신의 욕구에 솔직히 응해 가진 물을 전부 마신 반면에, 다른 소년은 욕구에 휘둘리지 않고 자신이 가진 모든 물을 펌프에 쏟아 부었다.

우리는 물을 다 마셔버린 소년에게 손가락질 할 수 없을 것이다. 마시지 못하면 곧 죽을 상황에 놓인 이 소년에게 그 누가 물을 마셔버림을 비판할 수 있을까? 그는 그저 그의 욕구에 솔직했을 뿐이기에, 그의 선택은 누구도 뭐라할 수 없을 것이다. 오히려 젊은 나이야 말로 욕구에 솔직할 수 있는 유일한 시기가 아닐까 라는 생각이 들면서, 그가 이해가 간다.

이 이야기를 들으면서, 한국의 20대가 떠올랐다. 욕구에 솔직한 모습은 유독 한국에서 매우 두드러지게 보인다 생각하기 때문이다. 그리고 나는 그 이유를 교육시스템과 사람들의 인식에서 찾았다. 한국같은 경우는 초등학교 6년, 중학교 3년 고등학교 3년 통합 12년의 시간을 교육받는다. 여기까지는 다른 나라들과 크게 다를 바가 없어보이지만, 한국인들이 대학교의 필요성을 중시하는 문화와 음주와 흡연이 법적으로 강하게 금지되어져 있고, 연애, 파티의 숨구멍은 학생에게는 부적합하다는 시선들과 함께 이 제도를 바라보면 조금은 생각이 달라질지도 모르겠다.

과연 대한민국 학생이 할 수 있는게 무엇이 있을까. 그들의 행동이 12년 동안 제한되어졌다는 것에 모두가 동의할 수 있을 것이다. 이런 관점에 따르면, 성인이 되어 모든 족쇄들이 풀리게 되자, 억압된 욕구들이 주체할 수 없이 뿜어져 나오게 되는 것은 어쩌면 지극히 당연한 결과일지도 모르겠다. 그 순간에야말로 욕구에 가장 솔직할 수 있는 시기가 아닐까 라는 생각이 들면서, 그들이 이해가 간다.

이제 고개를 돌려, 물을 모두 펌프에 쏟은 소년을 보자. 마찬가지로 갈증을 느꼈을 그는 옆에서 한 통의 물을 전부 마시는 다른 소년을 보고 어떤 생각이 들었을까? 당연하게도, 소년은 부러웠을 것이다. 자신에게도 똑같은 양의 물이 주어졌기에, 물 한 모금 달라는 요청도 하지못한 채 말이다. 하지만 그는 알고있었다. 이 사막이 언제 끝날지 알 수 없다는 것을. 그리고 지금 당장의 쾌락보다 더 중요한 것이 있다는 것을.

이 사막여행이 언제 끝날지 모른다는 점에서, 지금 가지고 있는 한 통의 물은 당장의 목마름을 해소해줄 지는 모르나, 장기적인 관점에서 그 상쾌함은 한 순간에 불과할 것이다. 만일 지금까지 걸어왔던 모든 길이, 앞으로 가야할 길에 비해 그저 시작에 불과했다면, 지금 당장의 물 한통이 있더라도 언젠가는 물이 부족해질 상황이 발생할 테고, 결국은 갈증에 쓰러지기 마련인데 말이다. 선택은 자유지만, 모든 선택에는 책임이 따른다는 말이 있듯이, 물을 마시는 것은 자유지만, 그 자유에는 책임이 따른다. 마치 물을 모두 마신 소년이 훗날 다시 갈증을 맞이해야한다는 책임처럼 말이다.

20대의 시작을 알코홀과 클러빙으로 즐기고 있는 우리들의 모습을 보고있자하니 갈증이라는 욕구 앞에서 물을 다 마셔버린 채, 상쾌해 하고있는 소년의 모습이 떠오른다. 분명 20대는 일생의 단 한 번 뿐인 시기이다. 하지만 인생이라는 사막여행에서 20대의 청춘은 찰나에 불과하지 않을까? 혹시 우리는 우리에게 찾아온 욕구에 너무 솔직한 반응을 보여주는 것이 아닐까? 언젠가 쓰러질지도 모를 미래를 생각하지 않은 채 말이다.

네 번째 : 마중물

네 번째 요소는 마중물이다. 마중물이란 무엇이냐 하면 이야기 안에서 소년이 부은 물 처럼, 물을 기르기 위해 펌프에 넣는 그 물을 우리는 마중물이라고 부른다.

펌프는 물을 붓지 않으면, 아무리 펌프질을 해도 물이 나오지 않는다. 어떻게보면 아무 물도 넣지 않고 물이 나오기만을 바라는 것은 일종의 욕심이라는 생각마저든다. 이는 인생에서도 마찬가지 이다. 만약 어떤 것을 달성하거나, 보상받고싶다면 우리는 이 펌프에 마중물을 넣고, 열심히 펌프질을 해야할 것이다. 아무 투자와 노력도 하지않고, 보상을 바라는 게 욕심이기에 말이다.

이야기 속에서는 이 마중물이 상인에게 받은 물 한 통이었지만 현실은 다르다. 현실에서의 마중물은 시간 자산이 아닐까. 펌프에 시간 자산을 부으면, 우리가 원하는 성공을 보상 받을 수 있다는 것이다. 보통 노력과 돈을 마중물로 여기는 사람들이 많은데, 노력은 열심히 펌프질을 하는 것이지, 마중물 자체가 되지는 못하며. 돈을 마중물로 사용하는 것은 인생 속 펌프가 아니라 투자의 개념에 가까울 것이니. 이는 적용하기에 어려운 사례라 생각된다. 우리가 모두는 시간 자산이라는 마중물을 가지고 있다. 몰론 마셔버릴지, 펌프에 쏟을지는 자유지만 말이다.

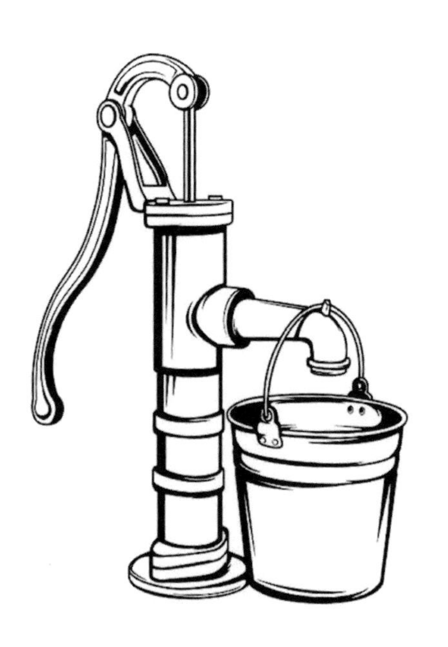

다섯 번째 : 우직함, 펌프질.

이야기 속 소년으로 돌아와보자, 물을 부은 소년은 물을 붓고서야 깨달았었을까? 펌프에 제품설명서가 없었다는 것을 말이다. 얼마나 펌프질을 해야 물이 길러지는지, 얼마나 빠른 속도로 펌프질을 해야 물이 길러지는지, 언제까지 펌프질을 해야 물이 길어지는지, 소년은 알지 못했을 것이다. 하지만 소년은 하나만은 확신했었을 것이다. '펌프질을 하면 물이 나올 수 있다.' 라는 사실을 말이다. 어쩌면 그 사실 하나면 충분하지 않았을까?

쉼없이 펌프질을 하면서, 소년은 자신이 선택한 결정을 끊임없이 뒤돌아 보았을 것이다. '내가 선택한 이 길이 맞을까?' '내가 틀렸다면 어떻게하지?' '물을 조금은 남겨놓을 걸 그랬나?' '아 몇 모금만 마셔볼걸…' 하며 후회를 했을지도 모른다. 하지만 이야기 속 소년은 그 모든 고뇌와 잡념에도 흔들리지 않고 펌프질을 이어나갔다.

아마 옆에서는 물을 다 마신 소년이 한 마디 씩 거들었을 것이다. '그거 안나온다니까.' '헛 짓 하고 있는 거야', '언제나올지도 모르는 거를 왜 하는거야 도대체.' 뭐 이런 식의 사기를 꺾어놓는 말들이 아니었을까. 하지만 그는 그 모든 말을 다 들으면서도 꾸준히 펌프질을 했다. 몇 번이나 펌프질을 했을까. 몇 시간을 펌프질을 했을까. 소년은 결국 물을 길러낼 수 있었다.

만약 소년이 주변의 부정적인 의견과, 선택에 대한 후회에 휩쓸려, 도중에 펌프질을 그만두었다면, 그는 결코 물을 얻지 못했을 것이다. 오직 우직한 마음으로 펌프질을 했기에, 물을 얻을 수 있었다. 이처럼 마중물을 이미 부었다면, 어떠한 선택을 하기로 결심을 했다면, 그리고 그 선택이 옳다고 믿는다면, 우리가 할 수 있는 유일한 선택지는 그저 묵묵히, 의심없이, 스스로의 선택에 책임을 지고 펌프질을 하는 것이 아닐까.

슬픈 사실은, 세상이 우리의 성공을 원하지 않는다는 것이다. 그리고 그 세상에는 타인도 포함되어있다. 우리의 성공을 진정으로 바라고 기도하는 사람은 적으면 한 손, 많으면 두 손을 채우기 힘들다. 인간은 원래 악하다는 것이 첫 번째 이유이고, 거듭나지 못한 범인들은 자신과 타인을 비교할 수 밖에 없는 것이 두 번째 이유이기 때문에 말이다. 그렇기에 당신이 펌프질을 할 때, 정말 많은 사람이 당신을 질투하고, 저주할 것이다. 하지만 이는 반대로 말하면, 타인들의 질투와 저주는 본인이 옳은 선택을 하고 있다는 것에 대한 반증이기에, 야유의 함성을 딛고 꾸준히 펌프질을 해야할 것이다.

이 사막의 두 소년 이야기는 오늘날 우리가 살아가는 인생과 유사하다. 아니, 인생과 너무나 비슷한 나머지, 인생 자체를 관통하는 이야기가 될 수 있지않을까 싶다. 이 이야기 속에서 발견한 다섯 요소들은, 어쩌면 인생에서 한 사람이 성공하기 위해 필요한 조건과 같을 것이다.

이 시점에서 처음 언급하였던 공식에 대해 이야기하고자 한다. 이 이야기를 기반으로한 다섯가지의 조건식은 다음과 같다.

$$\text{" }[\{(\text{기연}+\text{운})+\text{마중물}\}*\text{절제 }(0\sim1)]^{\text{지속성}} = \text{성공가능성. "}$$

이라는 식이다. 이 식에 상세한 수치를 기입할 필요는 없다. 이 식의 존재의의는 특정한 값을 구해내기 위함이 아니라, 그저 각각의 요소가 성공에 어떻게 기여하고, 작용하는지 그 관계를 알아보기 위함이기 때문이다. 무엇보다 이 식은 그저 나만의 생각이기에 과도하게 몰입하지 않기를 바란다.

이 식을 보고 한 가지 의문점이 생길 수 있는데. 그것은 바로 절제 부분이다. 절제는 퍼센테이지 이다. 본인이 스스로의 삶에서 얼마나 유혹에 절제하고 있는지에 대한 퍼센테이지로. 0에서 100 퍼센트 사이의 값을 넣으면 된다. 이 수치가 적으면, 적을 수록 유혹에 민감하게 반응을 하고있다는 것이고. 그 수치가 높을 수록 유혹에 흔들리지 않다는 것을 의미한다.

혹자들은 말할 수있다. '나는 기연도 존재하지 않고, 운 조차 없는 사람인데. 성공에 필요한 조건이 두 가지나 없으니 나는 포기해야하는 것이 아닌가.' 하며 불만을 토로할 수 있다. 하지만 이 식에서 알 수 있듯이, 기연과 운은 몰론 중요하나 그것들은 더해지는 요소들이다. 이 식에서 더 큰 영향력을 행사하는 요소는 곱해지는 요소인 절제력과, 제곱이 되는 지속성이다. 만약 당신이 기연과 운이 부족한 사람이라면, 가지고 있는 마중물을 더 부음으로써 부족함을 채우면 되고. 부을 마중물조차 부족하다면, 절제력과 지속력에 집중하면 될 것이다.

대학생 강의실, 쉬는시간 마다 담배를 피고, 술을 즐겨마시며, 쾌락을 좇는 학생들은 늘상 존재한다. 하지만 쉬는 시간에도 자리에 앉아 지난 강의를 복습하는 것 뿐만 아니라, 틈틈히 책을 읽고 자기계발을 하는 이가 같은 세상에 살고있고, 같은 순간, 같은 강의실에 앉아있다. 두 학생 중, 누가 더 성공과 가까운 사람일까? 사실 모든 것은 처음부터 당연했던게 아니었을까?

인간 관계

우리는 살아가면서 다양한 환경에서, 다양한 사람들을 만난다. 하지만 인간관계는 마땅히 정해진 답이 없어 고생하는 사람들이 많은데. 나 또한 그러한 시행착오를 거쳤다. 그럴 때마다 나는 '누가 좀 알려줬으면 좋겠다.'라는 생각을 하곤했다. 그렇기에 이번 장에서는 내가 경험한 인간관계들과 그 속에서 얻은 깨달음을 공유하고자 한다. 이 장을 읽으면서 당신은 평소 인간관계에서 가질 수 있었던 세 가지 궁금증을 해소할 수 있을 것이다.

1. 유난히 쉽게 친해지는 사람들이 있는 이유

2. 사람을 가려 사귀어야 하는 이유

3. 인간관계에서의 호감을 유발하는 트리거

직소 퍼즐

인간은 사회적인 동물로, 한 사회에서 다양한 구성원들과 함께 살아간다. 우리는 살아가면서 정말 다양한 사람들을 만나고, 같이 생활하는데. 이 과정에서 오랜 시간을 보아도 쉽게 친해지지 못하는 이가 있는 반면, 짧은 시간을 보내더라도 급속도로 친해지는 사람들도 존재한다. 이 차이는 왜 발생하는 걸까?

나는 그 이유가 인간관계가 직소 퍼즐과 비슷하기 때문이라고 생각한다. 직소 퍼즐이란 익히 알듯이, 맞물리는 홈대로 끼워 맞추는 조각 퍼즐을 말하는데. 인간관계 또한 이 직소 퍼즐처럼 홈이 있다는 것이다.

인간은 저마다 다른 모양의 홈이 있고, 인간관계는 그 홈을 맞추어보는 과정과 같다. 하지만 인간은 관계를 맺을 때, 그 홈이 맞지 않으면 아무리 노력을 하여도 합쳐질 수 없다. 물론 힘을 주어 억지로 그 둘을 합칠 수는 있겠지만, 이에 성공하더라도 억지로 끼워 맞추느라 망가진 퍼즐을 보면, 이를 성공으로 봐야 할 지는 의문일 것이다. 반면 홈이 맞는 퍼즐은 마치 원래 하나였던 것처럼, 어느 쪽에도 상처와 스트레스를 주지 않고 하나가 된다. 튀어나온 부분이

들어가 있는 부분을 채워주듯, 서로의 부족한 부분을 상호적으로 충족해주며 말이다.

내게는 유학 시절 만난 한 형이 있다. 그 형과는 오랜 시간을 함께하지 않았지만, 내가 가진 소중한 사람들 중, 그 누구보다도 편히 만날 수 있는 형이자 친구이다. 이 형과는 독일에 살던 시절 다니던 교회에서 만나게 되었는데. 모든 것을 어색해하던 나에게 먼저 다가와 주었고, 그 이후로 급속도로 친해지게 되었다.

지금 돌이켜 보면, 그 형과 내가 유독 친해질 수 있었던 이유가 떠오르지 않는다. 무엇 하나 큰 사건이 있었던 것도 아니고, 그저 헬스장과 교회를 같이 다녔던 것 뿐이었는데 말이다. 이렇게 특별한 이유 없이도 깊은 사이가 될 수 있었던 이유는 아마 그 형과 나 사이에 있는 홈이 잘 맞았기 때문이었을 것이다.

살아가면서 만나는 모든 사람이 이 형과 같으면 좋겠지만, 실상은 그렇지 않다. 나 또한 홈이 맞지 않는 사람을 마주한 경험이 있는데. 참 끔찍한 경험이었다. 그와는 어떠한 대화를 하더라도 가까워질 수 없었고, 서로 오해만 쌓인 나머지 그 끝이 좋지 않았었다. 우리는 나와 홈이 맞지 않는 사람들을 어떻게 대해야 할까? 당시의 나는 깨닫지 못했지만. 뒤돌아보니, 그때의 나는 왜 맞지 않는 홈에 나를 끼워맞추려 노력했는지 모르겠다. 세상 사람들이 모두 나와 맞을 것이란 생각도 어떻게 보면 오만함이며, 이유 없이 나와 잘 맞는 사람이 있으면, 이유 없이 나와 잘 맞지 않는 사람이 있는 것도 당연하며, 어떤 노력을 하지 않아도 쉽게 친해지는 사람이 있으면, 어떠한 노력을 해도 친해지지 못하는 사람이 있을 것은 당연할 것이다. 그렇기에 우리는 인간관계에 있어 억지로 노력할 이유가 없다. 노력을 해야만 친해질 수 있다는 것은 애초에 나와는 홈이 맞지 않는 사람이란 것일뿐더러, 스스로를 구겨가며 유지하는 관계는 어딘가 잘못된 인간관계이지 않은가.

애당초 맞지 않는 퍼즐을 붙잡으며 고생할 게 아니라, 들고있는 퍼즐에 어떠한 퍼즐이 맞는지 고민하는 게 중요하듯, 맞지않을 관계에 스트레스 받으며 고민할 게 아니라, 나와 홈이 잘 맞는 사람들을 찾으려 노력하고, 어떻게 그들과 더 조화롭게 어울릴지 고민하는 게 옳지 않을까? 우리의 인생은 짧다. 스쳐 지나가는 매 인연이 소중할 정도로 말이다. 이렇게 아까운 인생을 홈이 맞지 않는 사람들과 억지로 어울리는 데 쓰는 것은 어쩌면 인생을 낭비하는 것이 아닐까? 나와 맞는 사람을 찾고, 그들과 즐거운 시간을 보내는데도 시간이 모자라는데 말이다.

근묵자흑

나는 아리스토텔레스, 공자와 같은 철학자들에 매우 관심이 있다. 그들의 현안과 가르침에서 많은 깨달음을 얻고는 하는데. 그러한 가르침 중, 인간관계에서 내가 가장 좋아하는 말이 있다. 바로 '근묵자흑'이다.

근묵자흑(近墨者黑) 이란 중국의 속담으로 '먹(묵)을 가까이 한 사람은 까맣다.'라는 뜻 나타낸다. 여기서 까맣다는 말이 사람의 심성이 악하다는 뜻으로도 사용이 되어서, 결국 '악한 사람을 가까이 하면 악(惡)에 물들게 된다.'이라는 속뜻을 가지고 있고 말이다. 이 속담은 인간관계 중에서도 친구라는 카테고리에서 주로 쓰이고는 하는데. 폐암 말기 환자의 말로가 친구가 건네 준 담배 한 개비에서 시작되었고, 사업을 성공한 이들의 신화가 친구와 함께한 단칸 방에서 시작된 사례들을 보면, 친구를 가려 사귀라는 이 조언은 우리 마음 속에 새겨야 할 중요한 교훈일 것이다.

"먹을 피해라." 이 격언은 대놓고 친구를 가려 사귀라고 말하고 있다. 하지만 이때 우리 안에서 이와 상충하는 말이 수면 위로 떠오른다. 바로 '친구를 가려 사귀면 안 돼.'라는 문장이다. 어릴 적

유치원과 초등학교에서 줄곧 선생님께 듣던 문장이었는데. 지금 생각해보면 어째서 친구를 가려 사귀면 안 되는지에 대한 이유가 떠오르지 않는다. 분명 선생님께서 이유를 말해주셨을 텐데, 마치 해당 부분이 지워진 것처럼 기억이 안 난다. 먹을 가까이하면 내 몸이 까매지는 것은 당연한 이치인데. 먹이 묻는다는 걸 알면서도, 먹을 멀리 두면 안 된다고? 왜 우리는 친구를 가려 사귀면 안 된다고 교육받았던 걸까?

애초에 사람을 가려 사귀는 것이 왜 나쁜 것인가? 인생은 너무나 짧아서, 좋은 사람들만 아는 것으로도 시간이 부족한데. 왜 굳이 나의 소중한 시간과 기회들을 날려가면서 그렇지 않은 사람들과 어울려야 하는지 의문이다. 이런 측면에서 보면, 사람을 가려 사귀지 말라는 말은 좋지 못한 사람들과 어울려 시간과 기회를 날려버리라는 말이 아닐까, 도대체 누가 이 말을 만든 것인가?

저학년을 가르치는 교육자라면, 과연 누가 차별을 조장할 수 있을까. 그들이 겪을 딜레마가 공감이 된다. 하지만 모두가 현실을 알아버린 상태에서, 사람을 가려 사귀지 말라는 주장은 더 이상 받아들여질 수 없다. 하지만 이렇게 당연한 사실을 옳지 않다고 주장하는 사람들이 있었으니, 바로 먹처럼 검은 사람들이었다.

만약 친구를 가려 사귀라는 어린 시절의 가르침이 없었다면. 우리는 모두 한 치의 망설임 없이 사람을 가려 사귀었을 것이다. 그리고 이 과정에서 검은 사람들은 당연하게도 그 누구에게도 선택되지 않을 것이고, 결국 사회적으로 도태되어 질 것이다. 도태와 외로움의 두려움 때문에, 검은 사람들은 사람을 가려 사귀는 것이 차별이라며, 대중을 향해 손가락질하게 되지만, 사실 그들은 모든 사람을 차별하지 말라는 대의를 위해 소리치는 것이 아니다. 그저 자신들을 차별하지 말라고 외치는 것일 뿐이다. 이러한 그들의 모습은 본인들의 과오에 대한 책임을 다른 사람들에게 지게 만드는 꼴이니, 얼마나 비열한 행태인가 싶다.

사람을 가려 사귀는 것은 지탄받을 일이 아니다. 사람은 기본적으로 개인의 실리를 따지고. 욕망을 추구하는 동물이기 때문에. 좋은 사람들에게서 좋은 영향력을 받고 싶은 것을 과연 누가 뭐라 할 수 있을까. 그 누구도 손가락질할 수 없을 것이다. 오히려 사람은 가려 사귀어야 하고, 이 같은 사고방식이 당연하게 여겨져야 한다고 생각한다. 행실을 바르게 하지 않으면, 도태될 수 있다는 두려움은 개인에게 보다 선한 사람, 배울 점 있는 사람이 되도록 마음먹게 하는 이정표의 역할이 되어줄 수 있고. 이는 궁극적으로 사회 전체적인 양상을 이로운 방향으로 나아갈 수 있게 하기 때문이다.

이에 혹자들은 말할 수 있다. 그 두려움 자체가 개인을 옭아맬 수 있다고. 남들에게 선택받기 위해 강박감이 생기게 되고, 그 강박 때문에 정신적인 스트레스를 받을 수 있다고 말이다. 하지만 생각해보자, 검은 사람은 지금도 다른 사람들에게 먹을 묻히고 있다. 먹을 묻히는 사람이 없어져야지, 먹을 묻힐까 봐 걱정하는 사람이 없어져야 하는 게 말이 되나?

우리의 모습을 뒤돌아보자. 우리 주변에는 검은, 먹과 같은 사람이 있는가? 만약 존재한다면, 우리는 그들이 우리의 옷에 먹을 묻히는 것에 대해, 또 묻힐 수 있다는 것에 대해 너무 안일하게 대처하고 있는 것은 아닐까? 그들로부터 어떠한 영향을 받을지도 모르는데, 가만히 방치하는 것은 영향을 받을 자신의 인생에 대해 너무나 무책임한 태도임은 아닐까?

너무나도 잘 안다. 많은 사람이 '정'이라는 것 때문에 타인과의 연을 쉽게 끊어내지 못한다는 것을 말이다. 하지만 알아두어야 하는 것은. 검은 사람들은 암세포와 같다는 것이다. 초기에는 쉽게 제거할 수 있지만, 시기를 놓치게 되면 온몸에 퍼져 사람을 앓게 할 뿐더러, 죽음까지 몰고 갈 수 있다는 점에서 말이다. 언젠가 썩어들어갈 살이라면, 가만히 썩어가기를 기다리는 것이 아니라 얼른 도려내는 것이 지금 당장은 아프겠지만, 건강한 몸으로 살아가기 위해서 필요한 행동이 아닐까? 언젠가 온 몸에 퍼져 움직이지 못하기

전에 말이다.

'한 친구가 인생을 좌지우지할 수 있다.' 근데 이 말을 조금 비틀어보면 재미있어진다. 한 친구가 내 인생을 바꿀 수 있다는 말은, 곧 내가 어떤 인생을 살고 싶은지를 친구를 가려 사귐으로써 결정할 수 있다는 것이 아닌가?

MBTI

이번 파트는 정말 고민을 많이 했다. 나만 알고 싶은 인생 꿀팁이었는데 공유를 해야 한다니. 이 글을 쓰는 지금도 고민이 된다. 어쩌면 이번 주제를 반가워할 사람들이 많겠는데. 어디를 가나 쉽게 들을 수 있는 주제. MBTI이다.

MBTI는 정신분석학자 칼 융의 심리 유형론을 토대로 만든 성격 유형 검사 도구로, 인간을 에너지 방향, 인식 기능, 판단 기능, 이행 양식 이 네 가지의 상대적인 선호 지표를 조합해 성격 유형을 16가지로 분류한다. 이 설문조사를 끝내면 본인의 성격에 관해 설명하는 글이 결과로 나오는데. 보통 사람들은 그 결과를 보고 나라는 사람을 너무나 정확하게 묘사한다는 기분이 들어, 이 MBTI 조사가 자신이 모르는 본인의 성격을 밝혀주는 설문조사라고 착각한다.

나는 이 MBTI에 대해 그렇게 호들갑 떨 필요가 없다고 생각한다. 이는 착각에 불과하기 때문이다. 실제 MBTI 조사 속 문항들을 보면, '나는 주기적으로 새로운 친구를 만든다.' , '나는 일이 잘못될 때를 대비해 여러 대비책을 세우는 편이다.'와 같이 모든 문항이 결과와 직결되는 질문들 뿐이란걸 알 수 있다.

'주기적으로 새로운 친구를 만드는 사람'이라는 항목에 높은 점수를 준 사람에게 외향적이라는 말을 해주고, '여러 대비책을 세운다'는 항목에 높은 점수를 준 사람에게 계획적이라는 말을 해주는 것은 해당 조사가 어느 특별한 기능을 가지고 있는 것이 아닌, 그저 질문에 답한 대로 결과를 요약해준다고 보는 것이 옳은 해석일 것이다. 설문자가 답한 내용을 그대로 읊어주는 수준에 그치는 MBTI 조사는 그저 자신의 성격을 4개의 알파벳으로 요약해줄 뿐, 그 이상도, 그 이하도 아니라는 것이다. 하지만 나는 이 시점에서 문득 생각이 들었다. '이거… 쓸만하겠는데?'

나는 MBTI가 사람의 성격을 알파벳 4개로 요약해준다는 사실이 흥미로웠다. 왜냐하면 이를 반대로 이야기하면, 한 사람의 MBTI를 알면, 정확하지는 않더라도 그 사람의 성격을 유추할 수 있다는 것이기 때문이다. 요즘은 사람을 처음 만날 때, 서로의 MBTI를 물어보며 어색한 기류를 깨고는 하는데. 만약 사람들이 이 MBTI가 사람의 속을 꿰뚫어 보는 단서가 될 수 있다는 것을 알았다면, 이러한 문화가 퍼지지는 않았을 것이라 생각한다.

네 글자의 MBTI를 유심히 보면, 각각의 알파벳이 나타내는 성격은 정석적인 방법으로 알기에 시간이 오래 걸리고, 그 난이도 또한 쉽지 않음을 눈치챌 수 있다. 사교성이 넘쳐 보이는 사람 중에서도, 내향적인 사람이 있기에 이는 단정을 짓기 어려울 것이고, 생각하는 방식은 상대방의 머릿속에 들어가지 않는 이상 알 수 없으며, 계획성에 기반한 라이프스타일은 깊은 관계가 아닌 이상 알아챌 수조차 없을 것이다. 하지만 이러한 사람의 내면을 알파벳 네 글자면 모두 알 수 있다는 것이 아닌가.

이를 활용하면 상대방에게 호감을 따기란 정말 쉽다. 해당 알파벳에서 보이는 버튼을 눌러주기만 하면 되기 때문이다. 예시를 들면 INTJ 이성과 데이트를 한다 가정해보자. 내향적인 그 사람은 시끄러운 곳을 싫어할 테니, 가급적 조용한 식당을 예약해야 할 것이다. 상상력이 풍부한 그 사람에게 '만약에'라는 질문은 집중을 불러오기에 충분할 것이며, 논리적인 가치를 중요시하기에 논리성과 이성을 중시하는 태도를 비추면 금방 호감을 얻을 수 있고, 계획적인 사람이기에 스케줄을 미리 짜가는 모습으로도 충분히 가점을 얻을 것이다.

사실 MBTI를 공개하는 것은 자신의 성격을 서술하는 것이 아니라, 한 사람이 어떠한 인간을 선호하는지 나타내는 것이 아닐까? 단지 MBTI를 듣는 것 만으로도 한 사람이 좋아할 환경과 태도, 생각하고 살아가는 방식을 모두 알 수 있다는 것은 MBTI를 밝히는 것이, 나라는 사람을 공략하는 방법을 알려주는 것과 무엇이 다른가 싶다.

유사성과 상보성

MBTI를 활용한 인간관계 방법이 관계의 초입을 성공으로 이끌어줄 전략이라면, 유사성과 상보성 전략은 인간관계에 있어 중간 단계를 부드럽게 넘어가는 전략이라 할 수 있다. 이 유사성과 상보성을 간단하게 말하면, 비슷한 점과 다른 점을 적절히 활용하는 것이다.

유유상종, 가재는 게 편. 이라는 말이 존재하듯이, 인간은 자신과 비슷한 부류의 사람을 좋아한다. 심리학에서는 유사성이 친밀도에 영향을 미치는 것을 'similarity attraction effect'라고 하는데. 같은 성을 가졌다든지, 같은 음악 취향을 가졌다든지, 같은 음식 취향을 가지는 등, 서로 간의 공통점이 존재할 때, 인간은 서로에게 이성적이든, 그렇지 않던, 끌림을 느끼게 된다는 것이다.

앞서 말한 예시들을 보면, 이들에게는 공통적인 특징이 있다. 바로 유사성이 친밀도에 영향을 미치는 부분은 한 사람이 이미 가지고 있는 것들이라는 공통점이다. 자신이 가진 이름, 자신이 가진 취향, 자신이 가진 배경 등 본인이 소유한 것들에 한해 이 유사성-친밀도 효과가 발현이 된다는 것이다.

반면, 상보성은 무엇인가? 상보성은 서로 상(相), 도울 보(補) 자를 사용하여, 정반대의 특징이 서로를 보완해준다는 성질이다. 유사성과 같이, 상보성 또한 인간관계에서 중요한 역할을 하는데. 유사성과는 다르게, 상보성은 소유한 것으로부터가 아니라, 결핍에서부터 근원 한다는 특징이 있다.

인간은 누구에게나 결핍이 존재한다. 각자의 결핍은 너무나 다르고 그 종류가 다양한 나머지, 우리들은 사람을 볼 때 가장 중요시 여기는 포인트가 저마다 다르다. 좋은 대학교를 나오지 못한 사람은 고학벌의 사람을 주변에 두고 싶어 하고, 가난한 과거를 겪은 사람은 경제적으로 풍족한 이들을 곁에 두고 싶어 하는 것처럼, 우리는 개인의 결핍을 다른 사람으로부터 찾고자 하는 경향이 있다. 하지만 이는 결코 부정적인 것이 아니다. 관계를 맺고자 하는 사람이 이성이던, 동성이든 간에 자신이 부족한 부분을 가지고 있음에 끌리는 것은 자연스러운 인간 본연의 본능이기 때문이다.

이는 단순히 눈에 보이지 않는 가치 뿐만이 아니라, 눈에 보이는 신체적 특성 또한 포함된다. 실제로 요즘 여성들이 남성들의 넓은 어깨, 큰 키, 큰 근육들을 선호하는 모습은 그들이 가질 수 없는 결핍에 근원한 선호일 것이다. 마찬가지로 남성들이 긴 생머리와, 굴곡있는 몸매를 이성적으로 선호하듯 말이다. 이 방식으로 생각해보면, 인간이 결핍에 이끌린다는 것은 너무나 당연하지 않은가.

그렇기에 상대방이 갖고있는 요소에 있어서는 유사성을 활용하여 동질감을 유발하고, 가지고 있지 않은 부분에 있어서는 상보성을 활용해 상대방의 결핍을 채워준다면, 관계에서 호감을 얻는 난이도가 급속도로 낮아진다. 이 유사성과 상보성을 적절히 사용해, 상대방의 가려운 곳을 긁어줄 수만 있다면 말이다.

錯覺

Chapter 3.

錯覺

착각

| 완벽이라는 착각

| 최선이라는 착각

| 주인의식이라는 착각

| 정답이라는 착각

| 경제적 자유라는 착각

완벽이라는 착각

문득 그런 생각이 들었다. 내가 아무리 책을 즐기고, 열심히 읽더라도, 책을 좋아한다는 것이 글을 잘 쓰는 것과 어떠한 연관이 있는 걸까? 나는 평생 글을 써본 적이 없는 사람인데, 내가 글을 써도 되는 걸까? 라며 말이다. 나 스스로가 글을 써도 되는 사람인지에 대한 의문이 드는 순간부터, 나는 내가 썼던 글들이 이상하게 보이지는 않을까 걱정하기 시작했다. 그렇게 앞으로 몇걸음 나아가다 뒤돌아보는 것을 반복하게 되었고, 틀린 문장, 어색한 문장들을 고쳐가는 데에 시간을 더 할애하기 시작했다.

그렇게 며칠이 지났을까, 나는 분명 글을 써 내려가고 있었지만, 책의 진도는 좀처럼 진행되지 않았다. 많은 시간과 집중을 글쓰기에 사용했음에도 어째서인지 내가 목표했던 만큼의 양은 도달할 수 없었다. 나는 점점 힘에 부쳤다. 전업 작가가 아닌 나는 나의 모든 시간을 책에 쏟아부을 수가 없었기에, 정신적으로 체력적으로도 고난을 겪고 있었다. 정신을 차려보니 나는 늪에 빠져있었다. 버둥거리면 버둥거릴수록 밑으로 가라앉게 되는 그런 늪에 말이다.

우리는 종종 완벽을 좇다가 늪에 빠지고는 한다. 첫 출판이라는 부담감 때문일까, 어떻게든 좋은 글을 써보고자 하는 마음에 계속해서 썼던 글들을 수정해왔는데. 이 행동은 조금이라도 더 완벽한 글을 위한 발버둥 이었고, 그렇게 발버둥을 칠수록, 나는 늪에 더 깊게 빠지고 있었다. 버둥 거릴수록 더 지쳐가는 스스로를 보며 생각에 잠겼다. '완벽이란 무엇일까?'

완벽(完璧)은 아무런 흠이 없는 상태를 말한다. "흠이 없다." 라는 표현은 우리를 매료하는데 충분하기에, 모든 사람이 이 완벽이라는 단어를 일상 속에서 즐겨 사용하고 말이다. 그렇다면 다음 질문, 인간은 완벽한가? 아직 까지는 쉬운 질문이다. 너무나 당연하게도, 인간은 완벽하지 않다. 만약 어떤 이가 인간이 그 자체로 완벽한 존재라 주장한다면, 그것은 실로 오만한 소리일 것이다. 대답을 마치자, 저 골목에서 마지막 질문이 우리를 향해 걸어온다. '완벽하지 않은 존재에게서 완벽함이 나올 수 있나?'

모든 사람은 흠이 있기 마련이다. 아무리 잘나고 멋진 사람들에게도, 말할 수 없이 혼자만 앓고 있는 슬픔이 있고, 아무리 완벽해 보이는 사람도 그 끝이 늘 좋지만은 않은 것처럼. 우리는 모두 저마다의 흠을 가지고 있다. 그런데 이런 흠이 있는 존재에게서 흠이 없는 '완벽'이란 개념이 나올 수 있다면, 이는 논리적으로 설명이 불가능한 현상일 것이다. 콩 심는 데에는 콩이 나고 팥 심는 데에는 팥이 나는 법인데. 콩을 심었더니 다이아몬드가 나오다니. 애초에 말이 안 되지 않는가. 인간은 완벽하지 않기에, 완벽은 인간으로부터 나올 수 없다. 그리고 이 생각이 머리에 자리잡았을 때, 이제까지 내가 좇던 완벽은 허상이었음을 깨달을 수 있었다. 나의 글쓰기 실력이 출중하지 않음에도 완벽을 목표로 둔 것이 문제가 아니라, 애초에 나는 인간으로서는 범접할 수 없는 영역에 도전하고 있었던 것이다. 이렇게 보니, 어쩌면 인간이 완벽을 원하는 것 자체가 욕심이 아닐까 싶다.

늪에서 빠져나올 수 있는 방법은 너무나도 간단했다. 바로 스스로가 완벽할 수 없는 존재라는 사실과 어떠한 수단과 방법을 사용하더라도 인간의 산출물은 완벽해질 수 없다는 것을 겸허히 인정하는 것이었다. 그렇게 진심으로 고개를 끄덕이게 되면. 그 다음부터 내딛는 모든 발자국이 가벼워져 금세 늪에서 벗어나게 된다. 애초에 완벽이란 존재하지 않는데, 그렇게 부담가질 필요가 있었나? 하며 말이다.

유튜브 영상을 보던 중 어느 작가분의 인터뷰를 볼 수 있었는데. 그 영상 속에서 작가는 다음과 같이 말했다. “글을 쓰는 것은 초심자일수록 쉽게 써진다. 글을 쓰면 쓸수록 어렵게 느껴지기 때문이다.”라고 말이다. 작가는 이 말과 함께 모두가 글쓰기를 두려워하지 말고 도전하라는 응원의 말을 이어 나가는데. 나는 그 말을 다음과 같이 해석했다.

'처음 글을 쓰는 사람은 본인의 글이 완벽하지 않을 것을 당연하게 여기기 때문에, 여타 경험이 많은 작가들의 글보다 수월히 써진다. 오히려 글을 쓰면 쓸수록 완벽함에 다가가고자 하는 마음이 커져, 글쓰기에 어려움을 느끼게 된다.'라고 말이다. 우리는 완벽을 추구해서는 안 된다. 애초에 우리는 완벽할 수 없는 존재이기 때문이다. 라고 말이다. 혹자들은 완벽을 거부하는 나를 보고, 듣기좋은 핑계를 댄다며 치를 떨 수 있다. 그런 이들에게 질문하고싶다.

'완벽이란 무엇인가?'

최선이라는 착각

아르바이트 경험이 있거나, 회사에 몸담은 경험이 있다면 한 번쯤은 들어보았을 것이다. "모든 일에 최선을 다하라." 참으로 '노동착취' 적인 말이 아닐 수 없다. 대게 이러한 말을 전달하는 사람은 우리들의 상급자나 사장, 대표의 자리에 앉아있는 인물들인데. 이 인물들이 수직적인 관계에서 우위를 점하고 있는 공통분모를 가지고 있다는 사실만으로도, 우리는 이 말을 곧이곧대로 받아들여야 하는지에 대한 의심을 해야 할 것이다.

모든 일에 최선을 다하라는 말에 의구심을 던진다는 것에서, '그렇다면 최선을 다하지 말라는 것인가?'라는 의문을 가질 수 있다. 이에 대해 답하자면, 그렇지 않다. 우리가 살아가면서 최선을 다해야할 일들은 분명히 존재할 것이다. 하지만 내가 던지고자 하는 메세지는 진실로 '모든 일'에 최선을 다해야하는 것인지 생각을 해보아야 한다는 것이다.

이를 설명하기 위해 악기 하나를 비유로 들고자 한다. 우리가 모두 알만한 악기, 피아노를 생각해보자. 피아노는 모두가 알 듯, 건반을 누르면 소리가 나는, 지극히 당연한 메커니즘의 악기이다. 만일 피아노 건반 하나하나를 모두 강하게 누르면 어떻게 될까? 물론 소리는 크게 나겠지만, 이러한 연주법은 연주자의 손가락을 아프게 할뿐더러, 우리의 눈살을 찌푸리게 하는 소음에 불과할 것이다. 모든 악기가 그러하듯, 그저 강하게만 치는 것이 아닌, 강약을 조절하고, 중간에 쉬는 박자 또한 존재해야만 비로소 소음에서 연주로 거듭나지 않은가?

우리의 인생도 마찬가지이다. 그저 모든 일에 최선을 다하는 것은, 강하게만 누르는 피아노 연주와 같이 우리의 체력을 쉽게 앗아가고, 설령 연주를 끝마치더라도 그 연주가 소음에 불과하듯, 우리가 만들어내는 결과물은 우리 스스로를 만족시키지도 않을 것이다.

우리는 '모든 일'에 최선을 다하면 안 된다. 눈앞에 놓여있는 많은 일 중, 정말로 집중을 해야 하는 것이 무엇인지 파악하고, 해당하는 일에만 열심을 다해야 하며, 그렇지 않은 일들은 힘을 뺄 줄도 알아야 한다. 그래야만 소음이 연주될 수 있기 때문이다. 하지만 내가 평소에 "모든 일에 최선을 다하라"라는 말을 꺼리는 이유는 이뿐만이 아니다. '모든 일' 뿐만 아니라 '최선'이라는 단어에 대해서도 썩 좋은 감정은 아니기 때문이다.

최선은 모순적인 단어다. '최고의 선'이라는 뜻을 가지고 있으면서, 그 쓰임새는 악하게 사용이 되는 걸 보면 말이다. "최선을 다해라."라는 말은 참 악독하다. 도대체 얼마큼 열심히 하라는 것인가?

명확한 수치와 강도를 설명하지 않고 지극히 추상적인 '최선'이라는 단어를 사용하는 것은 우리를 보고 결승선이 없는 마라톤을 달리라는 것과 다를 게 무엇인가?

최선은 함정이 있는 단어이다. 우리는 어떠한 일을 끝맺을 때, 최선이라는 강박 때문인지 이것이 정말 스스로가 만들어 낼 수 있는 최선인지에 대해 고민하곤 한다. 나의 개인적인 경험을 꺼내어보면, 최선을 좇던 나의 말로는 항상 "난 이것보다 더 못해, 아니 안해." 라는 문장과 함께했다. 인간은 한계가 없는 동물이라는 말이 있지 않은가. 이 말을 반대로 이야기하면, 우리는 어쩌면 우리의 최선을 평생 발견하지 못할 수 있다는 말이 아닌가. 최선을 좇는 것이 얼마나 위험한 말인지 실감하게 된다.

2017년부터 2022년까지 5년 동안 과로로 인해 눈을 감은 사람의 수가 2천 5백명이다. 설마 이들이 그들의 인생을 대충 살았기에 영원한 휴식을 취하게 된 것일까? 절대 그렇지 않을 것이다. 이 2천 5백명의 사람은 전부 그들의 '최선'을 다하려 했기 때문에 결국 긴 잠을 자게 되었다. 설마가 사람을 잡는 게 아니라, 오히려 최선이 사람을 잡아가고 있다. 이렇듯 스스로가 최선을 좇는 것조차 조심스러워야 하는 것을 알 수 있는데. 남의 입에서 이 최선이라는 단어가 운운 될 때, 우리는 어떻게 받아들여야 할까.

다시 이 단어가 누구로부터 시작이 되는지 되돌아가 보자. 그러한 사람들이 종종 우리들의 고용주임을 생각해보면, 이 '모든 일에 최선을 다하라.'라는 말이 얼마나 '노동 착취' 적인지 다시금 알 수 있게 된다. 어쩌면 이 "모든 일에 최선을 다하라."라는 말은 우리들이 아니라 고용주의 입장에서 이득이 되는 말일 텐데. 그렇다면 혹시 이 말은 그들의 염원이 담긴 말이 아닐까?

'모든 일'에 '최선'을 다하면 안 된다. 무엇이 중요한지, 아닌지조차 분간하지 못하게 만드는 이 말은, 특정 집단의 강요가 담긴 말일 뿐이기에 말이다. 겉으로는 우리의 성장을 유도하는 것처럼 들리지만, 실상은 순전히 그들의 이익을 위해 사용이 되는 이 말은 어쩌면 너무나 가식적인 세뇌 과정이 아니었을까?

주인의식이라는 착각

나는 강남의 한 IT회사에서 근무를 했던 경험이 있다. 그 경험은 나에게 회사와 학업을 병행하며, 실무와 이론을 동시에 학습할 기회를 주었고, 뿐만 아니라 다양한 사람들과 만나며 인간관계에 있어 적지않은 깨달음을 얻을 수 있었던 소중한 경험이었는데. 재직을 하던 기간동안 늘 나의 귀를 거슬리게 하는 문장이 있었다. 바로 '주인의식을 가져라.' 라는 말이었다.

누군가에게는 주인의식을 가지라는 이 말이 익숙할지 모르겠으나, 평생 이 말을 들어본 적이 없었던 갓 성인의 나에게는 상당히 충격적으로 다가왔다. 그 때를 생각해보면, 기획자로 근무했던 나는 맡은 프로젝트에 있어 주인의식을 다하며 열심을 다하라는 메세지와 함께 이 문장을 마주했는데. 그 당시 뿐만이 아니라 지금까지도 나는 이 말을 이해할 수가 없다.

내 것이 아닌 것을 내 것처럼 생각하라니, 이게 말이라고 한 걸까? 진실로 스스로가 소유한 것에 대해 주인 의식을 가지라는 조언은, 뼈에 깊게 새겨야할 조언임에 동의하지만. 내가 소유하지 않은 것에 대해 주인의식을 가지라는 것은 사실이 아닌 것을 사실로 믿게한다는 점에서, 스스로에게 세뇌를 걸라는 꼴이 아닌가? 도대체 어째서 그들은 우리로 하여금 스스로를 세뇌를 하도록 복돋는 것일까?

웃기게도, 주인의식을 바라는 일에는 대부분 실제 주인이 따로 있다. 그리고 대게 주인이 주인이 아닌 사람들에게 일을 건내며 주인의식을 가지라고 말하고 말이다. 실제로 주인이라는 자격을 주는 것이 아니라, 주인의식만 건네주는 것이, 사실 주인의식을 가지라는 말을 뜯어보면, '주인인 것 처럼 열심히 일해라.' 라는 뜻이 담겨있지 않을까 싶다.

우리가 가져야할 주인의식은 우리 삶에 대한 주인의식 뿐일 것이다. 생각해보면 조금은 철학적이지 않은가. 다른 모든 것들은 우리의 숨이 다하면서 우리의 것이 아니게 되지만, 우리의 삶이야 말로 우리가 태어난 순간 가지게 되며 우리가 눈을 감는 순간에도 우리의 것이며, 죽어서도 누가 가져갈 수 없는, 우리 본연의 것이 아닌가. 스스로가 가진 삶이야 말로 영원토록 본인의 것인, 진정한 주인의식을 가질 수 있는, 가져야하는 유일한 것이 아닐까?

만약 위의 주장에 동의한다면, 주인의식이란 여타 다른 것들을 향해야하는 것이 아니라, 우리의 삶만을 향해야할 것이다. 즉, 우리가 소유한 우리의 인생에 대해 주인의식을 가지고 우리의 삶에 있어서 책임을 져야할 것이지, 결코 다른 사람의 것에 대해 주인 의식을 가지면 안된다. 아니, 못한다. 애초에 불가능하기 때문이다.

가끔 주인의식을 가지고 성공했다는 사람들의 이야기가 들리고는 하는데, 이는 보기좋은 허울일 뿐일 것이다. 그러한 사람들은 주인의식을 가져서 성공한 것이 아니라, 그저 주어진 일에 대해 '성실한 직원 의식'으로 임해서 성공을 한 것일 뿐, 그 누구도 온전히 주인의식을 가지고 성공을 이루지 않았을 것이라 확신한다. 아마 직원 의식으로 성공한 사람들 입에서 주인의식이라는 단어가 나온다면, 그는 성공적으로 세뇌된 상태일 것이다.

알면서도 모른체 하는 것은 쉬울 수 있지만, 알면서도 틀린 것을 주장하는 것이 얼마나 곤욕인지는 우리 모두가 잘 알고있다. 이 고통과 어려움을 경험해본 사람이 과연 타인에게 주인의식을 가지라는 말을 할 수 있을까? 그저 주인의식을 가지면 성공한다는 주장은, 실패했을 때 주인의식을 가지고 있지 않았다는 쉬운 질타가 되어버리는리는 것이. 이 얼마나 책임이 없으면서도, 사용하기 편한 말인가. 애초에 불가능을 가능한 것 처럼 요구했으면서 말이다.

IMPOSSIBLE

I'M POSSIBLE

경제적 자유라는 착각

오늘날 자기계발에 관심을 가진 사람이라면 한 번쯤은 들어보았을 단어가 있다. 바로 '경제적 자유'라는 단어 이다. 이 단어의 기원이 어디서부터 시작되었는지는 잘 모르지만, 나는 이 단어를 보도 섀퍼의 저서 '돈'에서 처음 마주했었다. 이 경제적 자유라는 단어는 돈으로부터 허달리는, 목메여있는 삶으로 부터 벗어나 자유로운 인생을 찾고자 하는, 짧게 말해 돈으로 부터 자유로워 지는 삶을 말하며, 돈이라는 존재로부터 벗어날 수 없는 이들에게 장미빛 미래를 그리게 만든다.

대게 성공한 사업가들의 자서전이나, 경영, 경제의 도서들에서 많이 보이는 이 단어는 '자유'라는 단어를 사용했지만, 실제로 이 단어가 정말로 자유를 원하는 의도가 담겨있는지 확신이 서지 않는다. 경제적 자유라는 개념를 전달하고자하는 메세지들을 보면 그 말들이 사실 대부분 대동소이 함을 알 수 있는데. 대게 투자나, 사업을 권고하며 젊은 나이에 돈을 악착같이 벌어서, 30대 이후 여유롭고 자유로운 삶을 추구하라고 말한다. 잠을 줄여가며, 인연을 끊어나가며, 스스로만의 루틴에 따라 젊은 나이의 자신을 채찍질하는 것. 이것이 정말 자유인가?

몰론 자유란 무거우며, 자유로 향하는 길이 가시밭길이란 것에는 동감하지만, 그들이 삘삘흘린 땀과 발바닥에 난 상처들을 보면, '경제적' 자유라는 개념이 그 정도로 중요한가 싶다.

미리 밝히자면, 이 주장은 지극히 나의 개인적인 의견이다. 어려서부터 재정난을 겪고, 부족함에 고통받았던 삶을 살았다면, 그 누구든 돈에 대한 열망을 가지고 '경제적 자유'라는 높은 정상을 향해 나아가고자 할 것이다. 나는 그러한 삶을 경험하지 못했기에, 어쩌면 그들 앞에서 '돈이 중요한가.' 라는 메세지를 던지는 것이 그들의 눈에는 그저 오만함으로 비추어질 수 있을 것이다. 하지만 오해하지 않기를, 이는 나의 주장을 과하게 해석하고 있는 것이다. 나는 그저 돈에 목숨을 거는 우리의 모습에서 '정말 돈이 목숨보다 중요한가.', '돈이란 것이 우리의 인생보다 중요한가.'라는 질문들을 던질 뿐, 돈 자체가 살아가는데에 있어 필요없는 요소이며, 돈을 벌기 위해 하루하루를 살아가는 사람들을 바보라 칭하는 것이 아니다.

하지만 돈이란 것은 딱히 대단한 것이 아니라는 나의 시선으로 다시 생각해보자. 지폐가 그저 인물과 숫자가 그려진 종이에 불과하다는 인식으로 돌아가면, 사람들이 어째서 이 종이 쪼가리를 위해 서로를 죽이고, 물어뜯고, 심지어 스스로의 인생을 포기하는지 그 이유를 고민하게 된다. 돈이란 것이 마치 하늘에서 떨어져 신성시 여겨야하는 것도 아닌데, 우리는 어째서 이 돈이라는 것을 그리

중요하게 여기는가.

애초에, 돈에 목숨을 거는 마음가짐은 우리 본연으로부터 나오는 생각이 맞는가? 속된 말로 돈에 '환장'하는 태도가 인간의 본성이라면, 돈이란 것은 인간이 나타나기 전부터 존재해야했던 개념이었을 것이다. 하지만 다들 알다시피 돈은 인간이 만든 개념이니, 이는 순서가 틀렸다. 이러한 일련의 생각들은 우리가 돈에 집착하는 것이 DNA에 새겨진 우리의 본성이 아니라, 누군가가 우리들에게 이러한 사상을 알게 모르게 주입한 것은 아닐까하는 의심으로 이어지게 한다. 만약 그렇다면, 도대체 누가, 이 종이조각 따위를 좇도록 우리를 가파른 절벽이 즐비한 길로 내모는 것일까.

오늘날의 사회가 단순히 우연에 의해 만들어진 것이 아니라는 주장에 동의를 한다면, 지금날의 사회는 사회가 발전하기에 이상적인 방향을 찾아나감으로 빚어진, 사회의 성장에 가장 이상적인 모습이라는 주장에도 동의하게 된다. 이 시점에서 생각을 해보아야한다. 사회의 성장을 위해 필요한 것이 무엇인가. 바로 세금이다. 그렇다면 혹, 우리가 모두 직장생활을 꿈꾸게하면서, 의무적으로 받는 교육에서 삶의 의미를 알려주지 않고, 궁극적으로 돈이라는 우상을 좇게 만드는 것은 사회의 필요가 반영된 것이 아닐까? 우리 사회가 우리로 하여금 금전만능주의를 독려하고 있음은 아닐까.

Chapter 3. 착각 (錯覺)

최근 젊은이들 사이에서 유행하는 말이 있다. "돈으로 행복을 살 수 없다면, 그 돈이 혹시 부족하지는 않았은지 다시 생각해보라." 라는 말인데. 나는 누군가에게는 농담처럼 흘려 들을 수 있는 이 말이 시사하는 바가 굉장히 크다고 생각한다. 이 말은 스스로의 행복을 돈으로 부터 찾는 것을 당연히 여기는 오늘날의 젊은이들을 보여주는 것으로 모자라, 상황이 여의치 않더라도 타협하지 않고, 스스로의 욕심을 줄이지 않고자 하는 굳은 마음이 비추고 있다. 오늘날의 젊은 세대의 금전만능주의와 이기심이 너무 당연하게 여겨지는 것이, 혹 이상하게 여겨져야하는 사람은 다른 이들이 아니라 내가 아닐까, 의심이 된다.

진실로 경제적 자유를 원하는 사람이 있다면, 경제적으로 자유로워지고 싶은 사람이 있다면, 오히려 이 금전만능주의와 이기심으로 부터 고개를 돌리고, 스스로를 해방시키는 것이 진정한 경제적 자유가 아닌가 묻고싶다. 스스로의 욕심을 충족하기위해 많은 것을 희생하여 금전만능주의에 한걸음 더 나아가는 것을 우리는 진실로 "경제적 자유"라고 일컫을 수 있는가.

'도대체 경제적으로 풍족한 삶은 무엇인가?'라는 질문에 우리는 대답을 한다. 돈 걱정이 없을 때, 차가 n대면, 건물이 n채면 등등...

이 질문에 대한 답은 굉장히 다양하다. 그리고 입장에 따라 풍족함의 정도가 다른 것은 즉, 얼마나 많은 돈을 벌어야 돈으로부터 자유로워질 수 있는지에 대한 물음으로 이어진다. 이에 대해 〈어린왕자〉 라는 책으로 많은 이들에게 깨닳음을 준 생택쥐페리는 우리에게 말한다.

“Perfection is achieved not when there is nothing more to add, but when there is nothing left to take away.”
(완성은 더할 것이 없을 때가 아니라, 뺄 것이 없을 때이다.)

대게 이 문장에서 ‘perfection’ 을 ‘완벽’이라고 해석하지만, 나는 작가가 던진 말을 ‘완성’이라는 단어와 함께 해석해야한다고 생각한다.

우리가 경제적으로 자유로워지려면, 더할 것을 생각하는 것이 아니라 덜어내야할 것에 생각을 해야하지 않을까? 남들과 비교하며 무엇을 더 가져야 자유로워질지 고민할 것이 아니라, 그 시선을 자신에게 돌려, 무엇을 덜어내야만이 내가 경제적으로 자유로워질 수 있을까 고민하는 것이 오늘날 우리가 지녀야할 고민이 아닐까?

Now, I'm free!

정답이라는 착각

'인생에는 정답이 없다.'라는 말이 있다. 인생에는 정답이 없으니, 어떻게 살아야 하는지 정해진 답은 존재하지 않는다. 라는 낙천적인 의미를 가진 이 격언은 인간으로 하여금 다양한 선택을 장려하면서, 동시에 잘못된 삶을 포장하는 데 자주 사용이 되곤 한다. 간혹 사람들이 인생에 정답은 없지만, 오답은 존재한다는 사실을 간과한 채, 이 격언을 오용하곤 하는데 그런 모습을 볼 때마다 아쉬운 마음이 든다.

이 이야기는 흐름에 맞지 않으니 훗날을 위해 미루어두고, 나는 이 '인생에는 정답이 없다.'라는 격언을 유심히 바라보다 생각에 잠겼다. '사람이 인생에 있어 여기는 성공과 행복은 저마다 다르기에, 특정한 인생을 정답이라 하기에는 어려움이 존재할 것이다. 그렇기에 개인이 윤리와 법 아래에서 스스로가 생각하는 성공과 행복을 추구하고 달성하는 삶을 산다면, 그것은 분명 세상을 향해 내놓은 그 사람만의 답이며, 그 사람만의 삶의 방식이기에, 그 누가 이를 오답이라 할 수 있는가. '인생에는 정답이 없다.'는 말이 참으로 공감이 된다.' 그러자 궁금증이 들었다. '삶의 방식뿐만이 아니라, 애초에 우리가 살아가면서 정답이라 말할 수 있는 것이 있을까?'

시대가 변하고, 과학이 발전하면서, 그에 따른 윤리의식은 이전과는 궤를 달리할 정도로 달라졌다. 과거에 수많은 가정을 지탱했던 가부장 제도는 산업혁명과 여성 의식이 성장함에 따라 여성억압의 문화가 되어버렸고. 피임의 기술이 발전함에 따라, 순결과 처녀성이 정답이라 여겨졌던 문화는 자유라는 가치를 등에 업고, 저 멀리 사라져버렸다. 나는 이러한 변화가 잘못되었다 생각하지 않는다. 하지만 골자는 시대와 과학이 발전하면, 정답이라 믿었던 것들이 오답으로 변해버리는 모습에서, '우리가 오늘날 여기는 정답들을 진실로 정답이라 부를 수 있는가?' 라는 물음이다.

윤리의식 뿐만 아니라 우리가 맹신하고 있는 과학과 수학 또한 그렇다. 과학과 수학이야말로 증명과 검증을 통해 과거의 정답이 오답으로 여겨지고, 새로운 답이 창안되는 과정을 거쳐 자리잡은 개념들이지 않는가. 고대 그리스 시절 플라톤과 아리스토텔레스는 세상이 불, 물, 흙, 공기 이 네 가지로 구성되어있다고 말하였지만, 오늘날 해당 주장은 완전한 헛소리며, 태양이 지구 주변을 돈다는 천동설은 이를 거부하면 신성모독의 잣대가 들이밀어질 정도로 정답이라 여겨졌지만, 이 또한 마찬가지로 오답이었다. 심지어 코페르니쿠스의 지동설은 정답이라 여겨질만한 충분한 증거가 뒷받침되었음에도 불구하고, 교회로부터 인정받기까지 400년의 시간이 걸렸다는 것을 생각하면, 당시의 정답이라 여겨졌던 것들은 미래의 우리 시선에서는 완전히 틀린 답이었으며, 심지어 오답이라 지적한 '옳은 지적'도 인정받기까지 오랜 시간이 걸렸다는 것을 알 수 있다. 그렇다면, 오늘날이라고 다를 바가 있을까?

오늘날 우리가 너무나 당연하게 여기는 것들 또한, 시대가 변하고 과학이 발전한 미래에 오답으로 여겨질 수 있다. 우리가 초등학교부터 대학교까지의 얻어야 할 지식이 모두 데이터 전송으로 치환되어, 그 긴 기간이 단 1분으로 축약될 수 있다면, 미래의 후손들은 지금의 교육체제를 보고 비효율적이며, 바보 같다고 여길 수 있다. 쾌락의 수단이 다양해진 미래의 후손들은 출산율은 줄어들고 피임기구 판매율은 높아지는 오늘날의 모습을 보고, 성이라는 고귀한 가치를 쾌락의 도구로만 사용한 지금의 우리를 향해 비난의 삿대질을 날릴 수도 있다. 앞으로의 미래가 어떻게 변할지 알 수가 없는데. 이러한 주장들이 허무맹랑한 소리라 치부될 이유가 없지 않은가.

앞서말한 내용들이 조금은 비약이 심하다고 생각할 수 있지만, 우리의 과거를 뒤돌아보면 우리의 행했던 모습들과 앞서말한 비유가 별반 차이가 없다는 것을 알 수 있다. 우리는 과거 기생의 존재와 그 문화를 즐겼던 상류층을 당연시 여겼다. 백정과 망나니를 천대했으며, 인간이 평등하다는 사상 또한 옳지 않다고 여겼었다. 하지만 그 당시에는 어땠을까? 과거에는 이러한 모든 문화나 사상이 너무나, 지극히 당연하였다. 그 당시는 정답이라 여겨졌던 문화와 행태들이 오늘날에는 오답으로 여겨진다는 점은, 이 이야기가 먼 나라 이웃나라의 이야기가 아니라 고작 500년도 채 지나지 않은 '우리'의 이야기임에서 더욱 현실적으로 다가온다. 이렇게 생각해보면, 애초에 세상에는 정답이란 것이 있기는 한 것인지, 만약 있다면 무엇을 진정한 '정답'이라 할 수 있는지 궁금해진다.

물론 나는 지금 신이란 존재를 빼놓고 이야기하는 것이다. 무릇 종교를 막론하고 신을 믿는 사람이 있다면, 신이란 존재를 세상의 정답이라 여기는 것이 당연하겠지만. 나는 그들에게 조금은 위험하지만 재미있는 질문을 던져보고 싶다. 성경에는 노예를 당연하다고 여기고, 남녀차별을 옹호하며, 죄를 지은 사람을 돌 던져 죽이라는 폭력적인 표현 등, 오늘날의 우리로써는 받아들이기 어려운 문장들이 존재한다. 과연 우리들은 해당 문장들을 어떻게 받아들여야하는가?

나는 아직 답변을 찾지 못했다. 내가 들은 답은 성경은 시대와 문화에 따라 해석이 돼야 한다는 것이었는데. 시대와 문화에 따라 답이 될 수도, 오답이 될 수 있는 말은 '전지전능'한 신의 말이라 할 수 있는가. 신이란 존재가 건네오는 메시지가 조건이 붙어야만 정답이 된다는 점은 자칫 위험하지만, 종교 자체를 의심하게 만든다.

분명히 밝히자면, 나는 기독교인이라고 하기에는 부족하지만 교회를 다닌다. 앞서 말한 종교에 대한 의심들을 가지더라도, 개미가 사람을 이해할 수 없듯이, 인간이 신을 이해할 수 있다고 생각하는 것은 그 자체로 오만이며, 만약 이해가 된다면 그것은 더 이상 신이라 부를 수 없기에, 나는 내가 이해할 수 없는 위치를 향해 의심을 가진다는 점에서 참으로 의미 없으면서도, 바보 같다고 스스로를 평가한다. 하지만 인간은 신을 이해할 수 없다는 결론으로 끝맺음에 따라 신에 대한 존경심에 한 발자국 더 나아갈 수 있다면, 이러한 의심도 나름대로 도움이 되지 않을까 싶다. (잠깐 종교 이야기를 했지만, 지금부터 다시 종교를 빼고 이야기하겠다.)

다시 본래의 흐름으로 돌아와서, 이 시야는 '우리의 삶에 있어 정답이란 것이 애초에 존재하는가?' 라는 의심을 들게 만들고, 돌고 돌아 '정답이라 정해진 것은 없다.'라는 결론에 이르게 만든다. "변하지 않는 것은 모든 것이 변한다는 사실 뿐이다."라는 헤라클레이토스의 명언과 함께 말이다.

여기에서 끝내면 이 이야기는 좋은 마무리가 될 수 있지만, 이런 나의 관점에서 보면 세상 살아가는 것이 조금은 불편해지기에 쉽사리 생각이 멈추지 않는다. 세상에 정답이란 없는데, 마치 정답을 알고 있는 것처럼 행동하며, 자신이 말하는 것이 정답이라 설파하는 사람들이 너무나 많기 때문이다. 혹여 나의 글 또한 그러한 사람들처럼 보이지는 않을까, 최대한 물음으로 글들을 마무리하고 있는 모습을 볼 수 있다.

이에 대해 〈블랙스완〉의 저자 나심 니콜라스 탈레브의 말을 인용하고 싶다.

“넥타이 맨 사람의 말은 믿지 마라 ‘넥타이 차림의 신사들’, 즉 은행가와 학자들의 말은 경계해서 들어야 한다. 가능한 한 자신과 자신의 지식을 과신하는 사람은 멀리하는 편이 좋다.”

나는 이 말을 그가 언급한 경제의 영역에서 넓혀, 세상을 살아가며 마치 자신이 정답을 안다고 행동하며 말하는 사람들을 조심하라고 받아들였다.

정답이 없는 세계에서 무엇이 옳은지 고민하는 것은 참 어렵다. 오늘날 철학과 신학이 그 자리와 중요성을 잃어가는 것은 해당 분야가 '돈을 못번다.' 라는 시대적 특성 뿐만이 아니라, 그저 '어렵기 때문에.' 라는 본질적인 이유가 한 몫한다 생각한다. 이렇게 어려운 걸 왜 우리에게 쥐어준 것일까.

근데. 보통 복수정답이 많으면, 문제를 잘못냈다고 하지 않나? 아닌가, 그저 점수를 주고자하는 문항을 이었을지도. 생각이 복잡해진다.

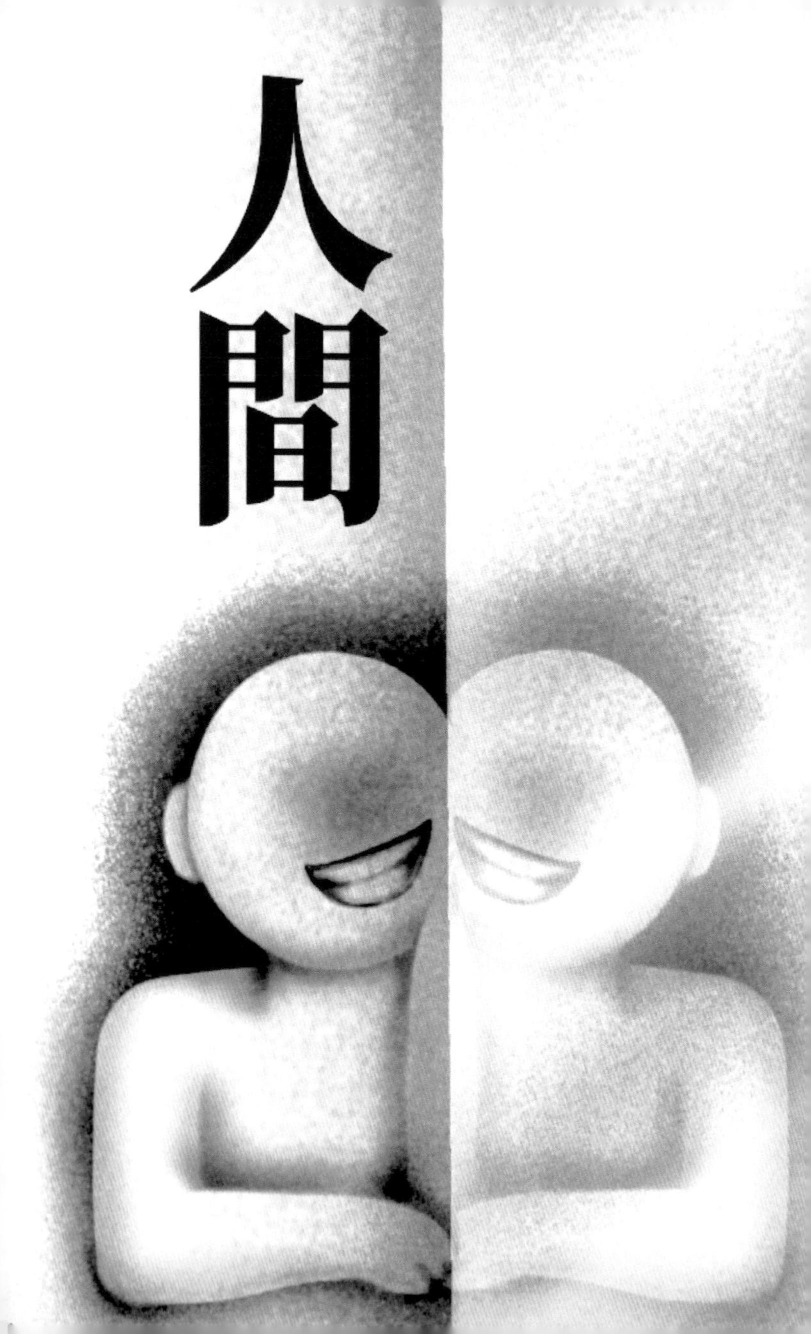
人間

Chapter 4.

인간

인간은 악한 동물

인간은 욕구의 동물

인간은 허무의 동물

인간은 악한 동물

인간은 본래 선하게 태어나는가, 악하게 태어나는가. 성선설과 성악설은 인간의 본성에 대해 탐구하는 철학자들의 머리를 오랫동안 아프게 해왔다. 이 이지선다의 질문은 오늘날까지 건네져, 살다보면 한 번쯤은 우리로 하여금 이에 대해 고민하게 만드는데. 명쾌히 내려진 정답이랄 것이 없고, 어떠한 선택을 하던 모든 인류를 일반화한다는 오류가 우리를 찾아와, 여전히 풀리지 않는 난제로 남아있다.

어린아이의 순수한 악행을 보고 있자 하니 머릿속에 있던 성선설이 고개를 숙이게 되고, 그렇다고 성악설을 바라보니 인간이 태어날 때부터 악하다는 것은 즉, 나 자신 또한 악하게 태어났다는 거울을 마주하게 되어 눈을 감아버리게 된다. 과연 무엇이 맞을까? 나는 이 두 가지 선택 중 무엇이 맞는지는 확신이 서지 않지만, 어떠한 것을 받아들이는 것이 인생에 도움이 되느냐 묻는다면 나는 성악설을 택하는 것이 살아가는 데에 있어 이로운 선택이라 생각한다.

몰론 고자의 성무선악설이나, 로크의 백지론과 같이 태어나면서

선과 악을 담지 않고 백지의 상태로 태어나, 살아가면서 그 성격이 변한다는 주장도 존재한다. 하지만 이는 악착한 상황에서도 선을 유지하는 사람들과 아무리 행복한 환경에서도 악한 성격을 고수하는 사람을 설명할 수 없다. 그뿐만 아니라 고자의 성무선악설은 인간의 욕구가 흐르는 물과 같아 동쪽으로 터놓으면 동쪽으로 흐르고, 서쪽으로 터놓으면 서쪽으로 흐른다 비유하였는데, 이는 인간이 자신의 욕구를 절제하지 못하고 흐르는 데로 따라간다는 점에서 인간의 주체성을 낮게 잡은 것이니, 사람이 짐승과 다를 바가 없다는 그의 주장은 우리의 의구심을 자아낸다.

철학자들의 주장들을 되짚어 볼 때마다, 새로운 식견들과 관점을 배우는 것 같아, 이는 나로 하여금 다시 철학책을 꺼내들게 만든다. 하지만 나 또한 철학적인 지식에는 부족함이 많으니, 철학자들의 이야기는 이쯤에서 차치하고 본 이야기로 돌아가자.

우리가 성선설, 성악설에 대한 논쟁은 무엇이 옳은지 시시비비를 가리는 것 자체도 중요하겠지만 그것은 분명 철학자들의 몫일 터, 우리 같은 범인들에게 있어서는 무엇이 옳은지 그 진리를 탐구하는 것 보다, 이 성선설, 성악설이 우리의 삶을 직접적으로 변화시킨다는 점에서 이에 대해 고민해보아야 할 것이다.

나는 살아감에 있어 성선설, 성악설 둘 중 하나를 마음에 담는 것은 마치 우리가 그려가는 인생이라는 그림의 도화지를 흰색으로 할지, 검은색으로 할지 결정하는 것과 같다고 말하고 싶다.

성선설을 흰 도화지, 성악설을 검은 도화지로 비유해보자. 만일 우리가 성선설을 믿고 산다면, 흰 도화지 속 검은 점이 눈에 띄는 것처럼 변질된 악한 사람을 마주했을 때, 그들의 악한 행동을 마주했을 때, 그 검은 행동이 두드러지게 부각되어질 수 밖에 없을 것이다. 아무리 다른 곳을 쳐다보아도 흰 도화지에서 검은 점은 그 모습이 잊혀지기 쉽지 않으니 이는 우리 머릿속에 계속해서 잔상이 남게 되고, 회상하면서 알게 모르게 스트레스를 받게 된다. "어쩜 저런 사람이 있을 수가."

반면 성악설을 바탕으로 인생을 살아간다면, 모든 사람이 태초에 악하게 태어났으니, 마주하는 사람이 저지르는 악행은 어찌 보면 당연하지 않은가, 담담하게 받아들여질 것이다. 하지만 여기서 핵심이 나오는데, 성악설과 함께 세상을 살아가면, 마주치는 선행들이 당연하지 않게 된다는 것이다. 근본적으로 악하게 태어난 사람이 나에게 선행을 베푼다면, 이는 당연하지 않은 행동이니 얼마나 감사한가? "어쩜 저런 사람이 있을 수가."

인간과 같은 선한 존재가 악행을 저지름에 실망하게 되는 성선설과는 달리, 인간이 태초부터 악하게 태어났음을 받아들임으로써 인간의 선한 면모를 감사해 할 수 있다는 것은 분명 성악설의 순기능일 것이다. 참으로 역설적이다.

결국 성선설, 성악설은 '선과 악 중, 무엇을 당연하게 여길 것인가?'라는 질문이 담겨있다. 사실 인간의 시작이 선으로 시작했는지, 악으로 시작했는지는 상관이 없는 것이 아닐까? 오직 우리가 어떠한 가치를 기본값으로 두어, 다가오는 선과 악을 대하는지가 중요할 뿐이지 않겠는가?

인간은 욕구의 동물

인간의 3대 욕구는 식욕, 수면욕, 성욕으로 알려져 있으며, 매슬로의 욕구 단계이론에 따르면 인간의 욕구는 생리적 욕구, 안전의 욕구, 애정-소속의 욕구, 존중의 욕구, 자아실현의 욕구로 총 5가지 단계로 나누어져 있다고 한다. 하지만 해당 욕구 단계들은 비슷한 성질의 욕구들을 포집하여 그 종류를 나누었을 뿐, 인간의 욕구는 5가지로 나누기 어려울 정도로 그 종류가 많으며, 시대가 발전함에 따라 그 하위 카테고리가 상세해지고 있다. 이렇게 하위항목이 많아지는 모습은, '인간이 시간이 흐를수록 더 많고 다양한 욕구를 추구하는 것이 옳은 것인가?' 라는 질문으로 이어질 수 있는데. 나는 보다 깊이 들어가고자 한다. 내가 건드리고자 하는 질문은 이것이다. '욕구를 왜 나쁘다 생각하는가?'

생각해보자, 욕구가 잘못된 건가? 보다 쉽게 무언가를 하고, 보다 빠르게 무언가를 해내고 싶어 하는 욕구는 인간사회의 발전에 크게 이바지해왔다. 욕구가 원동력이 되어 발달한 오늘날은 욕구와 욕망이라는 개념이 순기능을 가지고 산 증거가 아닌가. 하지만 "인간이 욕구를 좇는다.", "욕망을 좇는다."라는 표현에 사람들은 일반적으로 부정적인 이미지를 떠올린다. 욕구를 추구하다 범죄를 저지른 범죄자들의 선례 때문일까? 욕구라는 표현은 어느새 민감한 단어에 가까워졌다. 물론 나만의 생각일지도 모르겠지만 말이다. 하지만 생각을 해보자, 우리는 일상생활에서도 다양한 욕구를 마주치곤 한다. 갈증을 해소하고자 하는 욕구, 수면을 취하고 싶은 욕구를 생각해보면, 우리는 일상 속에서 이러한 욕구를 너무나 당연하게 마주치며, 이를 해소하기 위해 욕구에 기반한 행동을 한다. 목이 말라 물을 마시는 것 또한 갈증 해소라는 욕구에 기반한 행동인 것을 생각하면, 우리가 욕구에 기반해 행동하는 것은 어찌보면 당연하지 않은가.

뿐만 아니라 자아실현의 욕구, 부에 대한 욕구를 위해 하루하루를 살아가는 오늘날의 우리들을 보면, 욕구를 좇는 삶은 너무나 당연하다는 생각으로 이어지게 되고, 특정 욕구를 추구하는 것이 당연하다면, 법과 윤리 안에서 욕구를 추구하는 것은 아무 문제가 없지 않다는 것이 아닌가?

인간은 욕구에 따라 움직이는 동물이다. '법과 윤리 안에서' 욕구를 해소하기 위해 저지르는 모든 행동은 인간으로서 지극히 당연하기에, 우리는 그저 욕구에 충실한 인간들을 보고 그 무엇도 비난할 수 없을 것이다. 여자와의 잠자리를 위해 구애의 춤을 추는 남자들과 남자들을 유혹하기 위해 짧은 옷을 과감히 입는 여자들의 모습에서 우리는 어느 문제점도 찾을 수 없다. 여태껏 인간외에 다른 동물들의 구애 행동이 잘못되었다 지적받은 적이 있는가.

화려한 장식으로 집을 만들어 암컷을 유혹하는 바우어 새, 수컷이 암컷에게 물고기를 선물로 주는 물총새, 몸을 부풀려 덩치를 두드러지게 보이게 하는 산쑥들꿩. 이 동물들의 구애 방식은 오늘날 인간의 구애행동과 크게 다르지 않다. 인간도 동물이라는 분류에 해당한다는 점을 생각하면, 욕구에 충실한 구애 행동을 지적하는 것이 오히려 이상한 행동이 아닐까? 너무나 당연한 행동인데 말이다.

과오된 욕구는 문제가 되지만, 사회적인 합의 하에, 법이라는 체제 안에, 윤리라는 법도 아래에서 행해지는 '욕구에 기반한 모든 행동'은 인간이기에 지극히 당연하게 여겨져야하지 않을까? ‘인간이기에’, 참 쓰기 좋은 표현 같다.

Because
we are human!

인간은 허무의 동물

광활한 대지와 높은 산맥들을 보면, 나는 자연이 주는 웅장함에 입을 다물 수가 없다. 이러한 웅장함은 보는 이들의 가슴을 멎게 만들면서도, 인간이라는 존재가 얼마나 작은 존재인지 깨닫게 해준다는 점에서 나는 이를 매우 즐기는데. 이어진 산맥들과 넓은 바다의 지평선을 보면, 한 질문이 내 머릿속에 담겨진다. '자연 앞에서 이렇게나 사소한 나는 과연 어떤 삶을 살아야 하는 것인가?' 하지만 답변이 나와야 하는 순간에 다른 질문이 연이어 찾아왔다. 우리가 삶에서 굳이 의미를 찾아야 할까? 의미를 왜 찾아야 할까? 의미 있는 삶은 가치가 있어서인가? 그렇다면 의미 없는 삶은 가치가 없는가? 나는 의미 없는 삶을 사는 누군가에게 '당신의 삶은 가치가 없다.'라고 말할 수 있을까. '그런 삶도 가치가 있겠지.'라고 치부한다면, 그 가치는 무엇인가? 나는 그저 생각을 그만하고 싶은 것에 가치라는 개념을 핑계로 쓴 것은 아닐까? 머리를 비우려 찾아간 산은 되려 질문만 가득 안겨주었다.

살아가는 우리들이 하나하나 소중한 존재라는 말이 있지만, 우주라는 넓은 관점으로 보면 그 '소중'이라는 표현은 인간에게 붙이기 부끄러워진다. 넓은 우주에서 고작 티끌, 아니 티끌만도 못한 존재가 바로 인간인데, 우리는 살면서 공기 중 날아다니는 먼지를 소중히 여긴 적이 있는가. 적어도 나는 그러하지 않았다.

인간은 너무나 작은 존재이며, 사소하기에 허무한 동물이다. 아무리 열심히 살아도, 죽으면 먼지가 되어버리고. 지금 당장 '나' 라는 존재가 사라진다고 하여도, 세상은 조금도 변하지 않는다. 사라진 그 순간에는 주변 사람들의 격한 감정을 볼 수도 있으나, 이는 며칠이 지나면 무뎌지며, 담담해지고, 잊히며, 사라진다. 설령 사라지는 존재가 여러 사람에게 영향을 주었던 유명 연예인, 가수라 하더라도 결과는 같다. "그럼에도 지구는 돈다." 이러한 관점에서 보면, 인간이란 동물이 사소하고 허무하지 않다 누가 말할 수 있는가.

모든 것을 의심하라는 회의주의는 논리와 진리를 추구한다는 점에서 매력적이지만, 이 회의주의는 조심스럽게 다루어야 하는 칼과 같다. 너무나 날카로운 나머지, 자칫 우리의 손가락을 벨지도 모르기 때문이다. 회의주의는 끝을 향하면 향할수록, 모든 것이 의미가 없다는 허무주의로 이어질 수 있으며, 허무하기에 쾌락을 좇는다는 쾌락주의와 의미가 없는 세상을 비관적으로 보는 염세주의로 이어질 수 있다. 나는 그저 논리와 진리를 찾기위해 의심을 시작했을 뿐인데, 쾌락만을 좇게 되거나, 비관적으로 세상을 바라보게 된다니, 회의주의란 얼마나 무서운 도구인가.

회의주의의 끝에서 우리를 기다리는 허무주의를 조심히 다루어야 하는 것은 분명하지만, 인간은 필멸의 존재이며, 언젠가는 끝을 맞이해야한다는 사실은 인간이 허무한 존재임에 동의할 수밖에 없게한다. 인간의 삶은 허무하다. 이건 사실이다.

하지만 허무(虛無)가 무슨 뜻인가, 비다 허(虛)와 없을 무(無)를 사용하는 이 단어는 '비어서 없다.' 라는 뜻을 가지고 있다. 그렇다면 비어서 아무것도 없다는 것은 무슨 뜻인가. 이는 즉, 무언가 채워 넣을 수 있다는 것이 아닌가. 허무(虛無), 비어서 아무것도 없기에 우리는 무언가를 채워 넣을 수 있다. 우리의 삶은 허무하기에 의미를 채워 넣을 수 있고, 채워 넣어야만 한다. 의미를 채워 넣지 않는 삶이라면 그것은 허무한 존재 그 이상도 이하도 아니기에, 존재 자체의 의미가 사라지며 이는 존재 의미 자체가 사라지는 끝을 맞이하지 않겠는가. 이 허무주의는 우리 자신이 허무한 존재임을 받아들임으로써 허무하지 않은 존재가 될 수 있는 유일한 수단이니, 이 얼마나 역설적인가. 겨울도 아닌데, 한숨에서 입김이 보인다.

철학이 우리 삶에 있어 이정표와 같은 도구의 역할을 해야 하지, 그 철학에 잡아먹혀 한 번 주어진 인생을 방황하는 것은 해당 철학적 관점을 제시한 이가 의도한 바가 아닐 것이다. 즉, 인간이 허무하다는 관점을 도구로 사용하여 인생의 방향성을 잡아야하지, 인간이 허무하다는 결론에 잡아먹혀 허무 속에 익사하는 것이 허무주의

철학자들이 진정으로 바라던 바가 아닐 것이라는 말이다.

인간이란 존재는 허무한 존재이기에 허무한 인생에서 의미를 찾고 가치를 부여해야 함이 아닐까? 모든 것을 의심해 진리에 다다르려 노력하고, 허무에 도달했다면 지나온 과정에서 의미를 찾아야 하지 않을까. 이러한 의미 부여가 누군가에게는 자기 위로의 수단으로 비추어질 지도 모르나, 허무주의를 곱씹을 때마다 인간과 자기 위로가 떼려야 뗄 수 있는 관계인가 생각하게 된다.

허무라는 키워드에 맞추어 이 책을 마무리 지으려 한다. 자기 계발이나 방법론을 전달하기 위해서 이 책을 쓴 것이 아니라, 그저 내가 세상을 보는 방식과 나름대로 얻은 깨달음을 공유하고자 쓴 책이기에 딱히 결말은 없다. 참으로 허무한 결말이 아닌가. 이 결말이야 말로 허무라는 타이틀에 가장 어울리는 끝맺음이지 않은가. 웃음이 새어나온다.

글을 수정하는 과정에서 써왔던 글들을 뒤돌아보니, 나는 의구심이 참 많았던 것 같다. 이렇게나 의심이 많은데, 어떻게 사람을 믿어온 걸까. 아니, 애초에 나는 누구를 믿었던 적이 있나? 이딴 고민하는 나를 보면, 이 책을 쓰게 된 것은 당연한 수순이었을지도 모르겠다. 나의 의구심과 물음들이 책을 덮는 모든 사람에게 모쪼록 즐거운 세뇌였으면 좋겠다.

Ending.

마치는 글

제목에 관해서

집필에 관해서

작가소개

제목에 관해서

처음 설정했던 책 제목은 〈고장난 시계도 하루에 두 번은 맞다.〉였다. 누군가에게는 나의 사고가 고장 나고 틀리게 보일 수 있기에 스스로를 고장 난 시계라고 칭했지만, 제목과 같이 고장난 시계도 오전과 오후, 하루 두 번만큼은 정확한 시간을 보여주는 것처럼, 자칫 고장나 보이는 나의 사고들이 특정 주제에는 옳지 않을까 하는 마음을 담고 싶었다.

하지만 주변 이들에게 이 제목을 보여주자, 참 '나같은 제목'이라며 웃음을 지었다. 그리고 난 그게 마음에 안 들었다. 결국 사람들의 기억에 오래 남을 수 있으면서 책의 내용을 함축적으로 전달할 수 있는 책 제목을 다시 고민하게 되었고. 그것이 지금의 제목, 〈역세뇌〉이다.

이 책의 제목이 역세뇌인 이유는 언제서부터인가 세상이 특정사고를 주입하고, 우리를 세뇌하는 것만 같은 느낌이 들었기 때문이다. 나는 멀리서 이 세뇌를 지켜보다, '오히려 역으로 사람들을 세뇌하면 정상으로 돌아올 수 있지 않을까' 하는 생각이 들었고. 책 제목에 이를 녹여보고 싶어 〈역세뇌〉로 이름 짓게 되었다.

세뇌당한 사람들을 역으로 세뇌해, 정상으로 만든다. 이것이 나의 책의 주요 컨셉이다. 그리고 이 컨셉을 알게 된 뒤, 책을 처음부터 다시 읽어보면, 내가 썼던 글들이 어떠한 관점에서는 역세뇌가 아니라 세뇌 그 자체로 보일 수 있다고 생각한다. 그 의도가 맞다. 나는 지금 세상이 조금 이상하다고 생각하는 사람이고, 약한 수준이지만 음모론자 축에 속해질 수 있는 사람이다. 나는 어쩌면 이 책을 통해 사람들을 세뇌시키고 싶었는지도 모른다.

그렇지만 조금 삐뚤어진 사고관과 음모론자면 어떠한가? 만약 내가 틀리다면 생각을 고치면 그만이고, 세상에는 비정상이 없다면 그 누가 정상을 지칭할 수 있겠는가. 또한 틀릴까 두려워 말을 꺼내지 못하는 세상이라면, 그 세상은 좋은 세상이라 할 수 있는가?

난 진짜 헛소리 잘하는 것 같다.

집필에 관해서

언젠가 그런 생각이 들었다. '내일 당장 내가 죽는다면, 세상은 나를 어떻게 기억할까?' 사진이나, 지인들의 기억을 더듬으며 나라는 사람의 존재를 기억할 수는 있겠지만 이는 분명히 한계가 존재할 터. 나의 말투, 나의 생각, 나의 사상, 정체성은 사진이나 기억만으로는 남겨질 수 없지 않은가.

하지만 책을 집필하는 것은 이를 모두 남길 수 있었기에. 나의 물음에 방향성이 되어주었다. 그렇기에 이 책은 나라는 사람을 글로 남긴 책이랄까. 물론 훗날 이 책을 보며 혈기 넘치던 스스로를 비웃을 수도 있으나, 이런 나도 나인 것을 기억하는 게 중요하지, 비웃음을 당할지언정 과거의 나를 잊고 싶지는 않다.

언젠가 그런 질문을 받았다. "네가 쓰는 책은 어떤 책이야?"라고 말이다. 나는 고민을 하며 대답을 이어 나갔다. "에세이라 하기에는 감성과 거리가 멀고, 자기계발서라 하기에는 남이 잘되는 것을 딱히 바라는 사람이 아니기에, 굳이 단어로 정하자면 사상서가 아닐까?" 질문을 한 그 형은 가벼운 웃음을 지으며 말했다.

"쓸데없네, 좋다."

저자소개

안녕하세요. 책을 집필한 정석훈 입니다. 저는 썩 대단한 사람이 아닙니다. 그저 유학을 다녀오고, 지금은 홍익대학교에 재학중인 24살의 대학생에 불과합니다.

스스로가 대단하지 않다는 사실을 너무나 잘 알기에, 책을 쓰며 저의 글이 자칫 오만하게 보이지는 않을까 걱정을 많이 했습니다. 최대한 덤덤히 쓰려 노력했지만, 모든 글은 읽는 사람에 의해 평가되기에 저의 시선과 생각들이 어떻게 받아들여질지는 확신이 서지 않습니다. 누군가에게는 너무나 비관적인 시야로 여겨질 수도 있고, 다른 누군가에게는 그저 헛소리로 치부될 수도 있겠습니다.

하지만 이렇듯 어떻겠고, 저렇듯 어떻겠습니까. 애초에 모두를 만족시키고자함은 욕심이며, 어떤 글들이 담겨야 좋은 책이라고 할 수 있는지에 대해서는 모든 사람이 다른 답을 내놓지 않겠습니까. 그렇기에, 저는 이 책을 읽으시고 저의 물음에 대해 사색하게 되었고, 그러한 질문에 즐거움을 느끼셨다면 그것만으로도 충분히 기쁠 것 같습니다. 읽어주셔 감사합니다.

-정석훈 드림

Ending

정석훈